나의 영웅

(부제: 아버지의 구술을 풀다)

나의 영웅

발 행 | 2024년 04월 11일
저 자 | 임만용&임현락
펴낸이 | 한건희
펴낸곳 | 주식회사 부크크
출판사등록 | 2014.07.15.(제2014-16호)
주 소 | 서울특별시 금천구 가산디지털1로 119 SK트윈타워 A동 305호
전 화 | 1670-8316
이메일 | info@bookk.co.kr

ISBN | 979-11-410-8033-4

www.bookk.co.kr

나의 영웅

임만용&임현락 지음

CONTENT

프롤로그

아버지는 올해 여든세 살이시다. 평생을 농사만 짓고 살아 오셨다. 지금은 몸이 불편하시다. 작년 말에 자전거 사고를 당하셨는데, 그 이후 급속도로 기력이 쇠하셨다. 급기야 올해부터는 모든 농사를 포기하셨다. 아버지로서는 삶의 통로가 차단된 그야말로 사형선고와 같은 시간이었을 것이다. 대신 나는 제안을 했다. 손발이 불편하시고 몸이 힘드시지만 말씀은 하실 수 있지 않느냐, 쉬엄 쉬엄 생각날 때마다 음성녹음을 하시면 좋겠다고. 매일 새벽부터 밤이슬 내릴 때까지 논과 밭에서 시간을 보내셨던 분이라 갑작스레 찾아온 시간에 행여나 무기력해지실까 염려스러웠다. 뭔가 소일거리가 있으면 좀 낫지 싶었다. 다행히 나도 글쓰기를 가까이 해왔던 차라 음성을 글로 엮는 것은 자신 있었다. 우여곡절 끝에 아버지는 당신이 살아온 시간의 흔적을 한 올 한 올 푸셨다. 내가 평소에 들었던 얘기도 있었고 처음 듣는 얘기도 있었다. 최대한 담담하게 아버지의 인생을 정리하고 싶었다. 그래야 될 것 같았다.

누구나 할 수 있는 쉬운 일이지만 누구나 할 수 없는 어려운 일이기도 하다. 처음에는 스마트폰에서 음성

녹음 하는 방법이 어려웠다. 전화로 말씀을 드려도 쉽지가 않았다. 광주에 사는 동생이 마침 집에 들를 기회가 되어 따로 부탁했다. 전화 드릴 때마다 독려했다. 나중에 확인해보니, 30초 짜리도 있었고 11분 짜리도 있었다. 추수 뒤에 나락 모으듯 그렇게 차곡차곡 모아서, 아버지의 구술을 풀고, 나의 생각을 보탰다.

한낱 시골 노인의 삶이어도 좋다. 남들의 눈에는 쓸데없는 짓이어도 괜찮다. 이런 걸 누가 읽겠느냐고 핀잔해도 나는 상관 없다. 나에게는 '영웅'이다. 나의 폰에는 '사랑하고 존경하는 아버지'로 저장되어 있다. 아버지 나름대로 최선을 다해서 밟아오신 역정이다. 인간은 영원한 존재가 아니다. 그래서 결혼을 하고 자신과 가장 DNA가 가까운 자식을 남긴다. 여기에 더해 세상에서 하나뿐인 이야기를 남긴다.

나의 영웅에게 경의를 표한다.

제1화 구술 1

1) 맨발의 청춘

*

지금부터 나의 어릴 적 살아온 이야기를 한번 생각해볼까 한다. 나는 탯자리가 목포 산정동이란 데서 태어나 세 살 먹어서 광주로 와 부모님 따라서.

광주에서 이곳까지 태촌까지 와서 일곱 살 때부터 일하기 시작했다. 딴 애들은 학교 가고 나는 저그 동네 산 밑에 집에 단 두 가구가 살고 있었는데, 앞에 나와 놀 동안 못 있다.

거의 친구들도 어울리지도 안하고 학교는 갈 생각도 못하고 죽어라 일만 하기 시작했다.

**

아버지께서 목포에서 태어나셨다는 얘기는 처음 들었다. (3살 때까지만 살고 태촌으로 이사하셨다고 한다.) 당신은 평생의 한이 있었다. 바로 배움의 한이다. 7살때부터 일만 하셨다는데, 나한테는 초등학교를 석 달만 다니다가 월사금(수업료) 때문에 그만 두셨다고 했다. 학력 콤플렉스는 혼자서 일기 쓰기, 한자 쓰기 등으로 그 허기를 달랬던 것으로 기억한다. 비록 맞춤법 엉망인 일기이지만 내가 알기로는 근 35년 이상을 써오셨다. 지금은 악력이 약해져서 쓰고 싶어서 못쓰신다. 그때 나라도 맞춤법이라든가 표준어를 알려드렸어야 했는데 그 당시는 아버지란 존재가 무서웠고 일기라는 것은 혼자만 쓰고 봐야 하는 거라고 생각했었다. 몰래 훔쳐 봤어도 봤다는 말을 안했다. 내가 집을 떠나 기숙사에 있었거나 서울로 유학했을 때 한번씩 아버지의 일기장을 보면 그간 무슨 일이 있었는지 대강 짐작할 수 있었다. 친동생도 몰래 몰래 아버지의 일기장을 훔쳐보는 지 "오빠, 무슨 무슨 일이 있었어."라고 나한테 말해주곤 했다. 대학 졸업 후 어느 방송국에 지원서를 쓰는데 부모님 학력란이 있었다. 나는 고민 끝에 '국졸'이라고 적었다. 우연히 옆사람이 적은 걸 봤는데 '대졸'이라고 써 있어서 나혼자 부끄러웠다. 그런데 위 말씀을 듣고 보니 딴 동무들은 학교 가고 당신은 그런 친구들과도 못 어울리고 일만 해야 했다는데, 아 그 심정은 어떠했을까. 감히 상상하기도 버겁다.

중학교 때 내가 공부 좀 한다고 하니까, 어느 날 아버지께서 우리집 주소를 한자로 써보라고 하셨다. 전라

북도 순창군 팔덕면 태촌. 내가 아는 글자를 총동원 해도 제대로 쓸 수가 없었다. 학교에서 가르쳐주지 않았다는 핑계를 댔지만 못내 아쉬워 하는 아버지의 모습이 그려진다. 그래서 연습했다. 全羅北道 淳昌郡 八德面 台村. 꼬불꼬불 글자를 연습하고 준비했더니, 그 뒤로 물어보시지 않았다.

*

아버지는 목포에서 살면서 돈을 잘 벌기는 벌었는데 후사 생각은 안 하고 에, 벌면 번 대로 술사발에 다 깨묵어 불고 세상을 그렇게 보내고 여기 와서 삼는 자식들이라고야 말만 오남매제 넘 보기만 좋았지 하나 쓸모없는 자식들이 되고 말았다.

내가 장가 갈 적에 형이나 큰성 작은성 둘 있어도 큰성도 옷감으로 옷 한 벌 값 감 떠오고 두째성도 마찬가지였다.

그거 옷감을 해입도 안 하고 나중에 버려부렀는디 큰성은 술만 먹으면 술속이 어찌 고약하더니, 형수씨는 광주 공원 밑에서 튀김을 튀겨서 팔고 근디 술만 먹고 오면은 형수씨 보고 오늘은 어떤 놈부터 먹었냐고 아주 엉금자(억지)가 보통이 아니었다.

불쌍한 사람은 그 양반이나 큰 형수나 작은 형수 여자들은 다 불쌍한 세상을 살고 요즘도 형제 간이다고 나한테 도와준 것이라고는 엽전한입 없이 세상을 살았다.

**

아버지의 아버지, 그러니까 나로서는 조부다. 나도 어릴 적 할아버지에 대한 기억이 난다. 키가 훤칠하시고 스포츠형 머리에 양볼이 움푹 패였던 모습이다. 당신 말년에 거의 안방에서 누워 계셨는데, 내가 밖에서 놀다가 방문을 빼꼼히 열고 할아버지 곁에 무릎을 꿇으면 말없이 웃으셨다. 조금 있다가 베개 안쪽에서 뭘 꺼내서 고사리 같은 내 손에 쥐어주시는데 알록달록한 알사탕이었다. 할아버지께서 하신 말씀, 음성은 솔직히 기억에 없다. 그 이미지, 잔상만 기억될 뿐이다.

난 유달리 찰밥을 좋아한다. 찰밥만 있으면 일주일 매끼니 그것으로 때울 정도다. 할아버지도 찰밥을 좋아하셨다는데, 어느 날 엄마가 팥이 없는 찹쌀로만 밥을 해서 할아버지 드리고 남은 밥을 먹은 적이 있었다. 그때 정말 꿀맛이었던 기억이 지금도 생생하다.

이런 할아버지에 대한 단편적인 기억밖에 없었는데,

아버지의 음성으로 조부의 모습이 그려진다. 돈 잘 벌고 술 잘 마시는 한량! 내일에 대한 계획도 없고 그냥 저냥 살아가는 촌부. 그래서였을까. 아버지는 셋째인데 위로 백부 둘, 아래로 숙부 둘, 모두들 업들이 변변찮았다. 막내만 겨우 초등학교를 졸업했고 나머진 무학이었던 것 같다. 이는 굉장히 중요한 깨달음을 시사한다.

가족 구성원 중 아버지가 중심을 잡지 못했을 때 자식들도 기반 잡기가 상당히 어려울 수밖에 없다. 결국은 각자 도생이고 각개 전투를 해야 한다. 5형제라고 하면 독수리 오형제가 제일 먼저 생각난다. 하지만 그뿐이다. 남들 보기에는 좋아 보여도 속내는 그게 아니었나보다.

가장 큰 큰아버지. 술을 좋아하셨다. 특히 막걸리를 많이 잡수셨다. 바람결에 연락도 없이 큰 백부는 우리 집을 찾아오셨다. 그리고 한두 시간 안에 떠나셨다. 무슨 일로 오셨는지는 잘 모른다. 택시 타고 오셨다가 일을 마치시고는 바로 택시로 가셨다. 광주에 사신다. 누구나 그럴 테지만 촌놈한테는 도시에 대한 동경이 있다. 높은 건물만 봐도 좋고 수많은 차들, 사람들이 좋았다. 광주에 가면 큰어머니가 집 근처에서 뎀뿌라 장사를 하신다. 튀김 장사 말이다. 언제부터인지는 모른다. 큰아버지를 따라 광주에 가면, 해가 어스름 질 때

도착하곤 했다. 큰엄마 한테 인사드리고 튀김 만드는 걸 구경한다. 카바이트 불꽃이 환영의 불꽃처럼 피어오른다. 약간 머리가 지끈할 정도의 독성을 뿜어내지만, 심지어 그조차도 좋았다. 보기만 해도 침이 꼴깍할 정도의 각종 튀김들이 사람들을 유혹한다. 고구마 감자튀김부터 시작해서 꽈배기 찹쌀도너츠 오뎅…… 그 중에서 내가 한번도 못먹어본 게 있었다. 바로 삶은 계란을 통으로 넣고 튀긴 것. 내 기억에 그게 가장 비쌌던 것 같다. 큰엄마는 장사 한다는 핑계로 싸구려 뎀뿌라를 오봉(쟁반)에 대충 담아주셨다. 그래도 좋았다. 빛바랜 파란 천막도 좋았고, 옆집 기름집에서 풍기는 깨 짜는 냄새도 좋았다.

*

내가 살림을 시작해야 하는지가 나이 12살 11살 때부터 일을 하기 시작했어. 아버지는 대 일을 해갖고 대바구니를 만들어서 팔아서 먹고 끼니를 이어갔는데 그것을 내가 어린 나이에 짊어지고 순창까지 장날에 갖고 가고 아버지는 한량이다. 해갖고 다구찜도 안지고 나한테 다 맡겼다.

나는 어린 나인데 신발도 없어갖고 맨발로 순창읍

의 장에를 갔더니, 순창읍의 거지떼들이 자기 클럽으로 오라고 끌고 가갖고 나는 거지가 아니라 아무 데 사는 누구다고 얘기를 했더니, 그러믄 또 누가 그것을 인정을 하겠냐 너는 틀림없이 우리하고 똑같은 집도 절도 없는 거지다. 그런데 그러자 우리 동네 사람이 읍에서 장사를 하고 있었는데, 아버지보다 나이가 두 살이나 많은 어른인데 사람이 야 이놈들아 거 우리 동네 사람이다. 우리 동네 사람이다. 우리 애기들이다.

그런 게 거지떼들이 그냥 놔두고 가불고 그렇게 살고 아이고 또 인자 나이가 한 20살 되어갈 무렵인데 우리 내 밑에 동생 만식이란 동생이 있는데, 가가 남의 절도 도둑질을 해갖고 교도소 가서 잡혀갔는데 아버지가 가를 나한테는 얘기 못 하고 큰집이 성한테 큰집의 형이 만년인데 형한테 가갖고 얘기해갖고는 나한테 형님이 와갖고 가보자 해갖고 광주 교도소를 갔다. 교도소 가서 보니까 나로서는 둘째, 고모 아들이 그거 검찰청 서기 계장으로 있어서 그, 나로서는 생질인데 큰집에 성이 만나갖고 그때게 논 서마지기 값을 주고 빼내기로 했었다.

그런데 그렇게 또 나는 논도 없고 큰집에서 얻어온

큰아버지가 천수답이라고 해서 물도 없고 지어먹기가 고약한 논인데 그 돈 서말게 사준 놈을 벌어서 묵고 또 전보다는 노동 일만 넘의 것 다니면서 밥 얻어먹고 일이 품샀받고 그러고 살고 있는데, 만식이라는 놈이 또 중간에 농약을 먹고 뒤질라고 나는 디저불게도 도와달라 그랬더니, 또 아버지가 큰집이 성한테 가갖고 다 뒤지게 생겼는데, 그때 게난 순창 병원이란 것은 의사 자격증도 없고 돌팔이 의사 순창병원 이런데 한 군데 있었다.

가가지고 그래도 포도시 살려갖고 내다 놓고 나는 어머니 아팠을 때 그때에는 병원이란 것은 알도 못하고 갈지도 모르고 돈도 없고 그렇고 어머니는 젊은 나이 56살에 세상을 떠나셨다 그 뒤로 아버지가 인자 계신디 아버지한테도 불효를 많이 했다.

젊었을 적에 좀 잘허제 왜 인자 후회해봤자 뭔 소용이냐고 지금 현에 마찬가지인데 나도 생각하면 부모한테 불효한 것이 후회가 된다.

**

처음 알았다. 할머니께서 56살에 돌아가셨다는 걸. 나중에 아버지께 여쭤보니 그때 당시 자꾸 배가 아프다고 얘기했다는데, 아마 위암인 것 같다고 들었다. 가족력. 아버지도 위암 초기에 발견했기에 우리 3남매도 조심할 필요가 있다. 건강검진도 빠뜨리지 말고.

2) 애비는 종이었다

*

　내가 집을 짓고 아무것도 없이 그런 줄 뻔히 알면서 큰집에서는 그 백 석이라는 말 듣고 살면서도, 단 돈 1원하나 보태지 않고 오히려 우리 집 뜯은 썩은 나무 불때려고 실어가더니, 나는 허마못해 다른 얼마라도 보태주려나 했더니 싹 씻고 말더라.
그런갑다 하고 우리 산동댁이 들어와갖고 살림이 벼락부자 된 듯이 일어나고 없을 때는 순창읍네 철물점 김만철이 말만 하면 어디서든지 돈 둘러다 대주고 나도 빨리갚고 한 삼 년 후에는 순창읍네 부자들 알아갖고 돈 얻어쓰고 이자 제 때 갚고 하니까 신용 있어갖고.

**

큰 집에 대한 불만이 상당하셨던 것 같다. 특히, 큰 할아버지에 대한 애증이 많으셨던 것 같다. 나도 기억 난다. 기골이 장대하시고 한 일자로 꾹 닫은 입모양을 하신 채 흰 고무신을 신고 다녔던 모습이. 당신 말년에 그러니까 내가 어렸을 때는 큰 집에 새벽부터 세배를 갔다. 순서대로 차례로 세배를 드리고 마루에 앉아 떡 국을 한 그릇 먹고 내려왔다.

아버지는 큰 살림에 동생, 나로서는 할아버지 한테는 살림도 내어주지 않고, 조카들을 머슴살이 시키면서 먹 는 것이나 세경도 제대로 쳐주지 않으셨던 이 양반에 대해 깊은 '회한'을 갖고 계신 것으로 생각된다.

*

하루에 소풀을 큰망태로 두 망태씩을 비어야하는데 아버지가 비다가 인자 힘이 딸리기에 우리 산동떡이 소깔 비어다가 쇠죽 다 쓰고 우리 산동떡도 나 따라 서 일하느니라고 치사도 못 듣고 꾸사리만 보고 하면 서 고생 많이 했다는 것을 인자 깨달쳐진다

지금은 논두럭이고 밭두럭이고 풀이 천지가 풀이지만 은 그때게는 내가 큰집이 머슴으로 살 때에 쇠깔 한

망태 빌라면은 하루종일을 돌아다니도 망태로 하나 비지를 못하고 여비 가면 논두레이고 밥투레기고 얼그랭이 다 비키불고 그렇게 풀 뜯어야 농사를 짓기 때미 풀도 그렇게 귀한 치우면 기으면 안되나 사방천지 나무가 천지지만은 그때에는 여기서 적여나무의 강천너머에 저으 그 구림면 분통리까지 가 분통리 뒷산까지 가가지고 나무 해다가 하루 한 입시에다 묻어 갖고 팔아먹고 그랬다.

처음에 살림을 하고 가서 시작하면서 담배도 밭에다 붙여갖고 담배 농사도 한 10년간 하고 뽕나무도 없이 위에도 밭 매라고 하면은 지금 사람들은 모르지만은 누에도 키워보고 안해 본 일 없이 다 했다. 우리 마누라도 나 때문에 고생 많이 하고 소 부릴 소 부릴 때 쇠깔 오전에 한 망태 오후에 한 망태 하루에 두 망태씩을 뜯어다가 아침저녁으로 소죽을 끼리서 소를 먹이고 그 소를 나는 들에 갖고 가 논 갈고 그랬다

3) 둘째 큰 아버지

작은성에 대해서 한번 얘기를 하고 싶다. 우리 작은성은 어려서부터 일이라고는 안 할라고만 하고 꾀로

만 이리 빠지고 저리 빠지고 결국은 건달로서 노름판에 달라들어 돈도 없는 사람이 넘 노름한데 뒤나 따라댕기고 노름 판이나 붙이고 아주 못된 버릇을 가지고 있었다. 그러다 보니 결국은 빚이 짊어져 남의 것도 많이 떼먹었다.

떼어먹어도 처가 껏 형제 간 내 것 결국은 내가 남 보듯이 해갖고 인자 죽을 때는 사이가 안 좋고 그렇게 세상을 떠났다.

**

나의 큰아버지는 한량이셨다. 음악을 좋아하셨다. 말년에 트롯, 판소리 등을 즐겨 들으셨던 것으로 기억한다. 형제 간에는 뭔 일이 있었는지 무슨 사연이 있는지는 몰라도 조카에게는 따뜻한 분이셨다. 중학교 때까지만 해도 우리집과 사이도 좋았다. 서로 집에서 저녁도 먹고 약주도 한 잔씩 하면서 함께 카세트 틀어놓고 춤을 추기도 했다. 특히, '아, 아 으악새 슬피우니--'하는 노래를 좋아하셨고 잘 부르셨던 걸로 기억한다. 지금 검색해보니 고복수의 '짝사랑'이었다.

허망하게 백부가 돌아가시고 나니 그야말로 위계질

서가 엉망이 되었다. 어른들의 일은 자식으로 이어지고 자식들의 응어리는 그 아래로 이어지고 있다.

자식이라고 부모를 다 알 수도 없고, 알아야 되는 건 아니다. 그분들의 프라이버시가 있으니까. 그러나 세상에는 가슴으로는 이해가 되어도 머리로는 도저히 받아들일 수 없는 사연이 있다. 마찬가지로 사정은 알겠는데, 인간적으로 그러면 안되는 경우도 있고. 중요한 건 모든 것을 객관적으로 판단할 수 없다는 것이다. 전적으로 '나'의 관점에서 일상의 전부를 파악한다. 그게 인간이다. 그렇다면 그로인해 받게되는 피해나 고통은 순전히 '나'의 몫이다.

4) 삼촌들

*

또 우리 만식이 얘기를 한번 해볼까 한다. 그건 얘가 먹이 적었던 생각에는 경력은 많고 내 시인들은 다 듣고 살다가 장가에 갈 때가 됐어 담양 큰애기가 있다고 했어. 그거를 가서 본 게 괜찮을 것 같아서 혼례를 시켰다.

시켰는데 혼례날 지기 어매가 따라와 갖고 집에 데려다 준다고 저 방축리란 데 가서 광주 가고 담양가는 차를 탈라믄 그거를 가야 하는데 또 데려다 준다고 가가지고는 이게 만식이도 따라가고 차가 온게 둘이 지기어매하고 차 타고 도망을 가부렀어 헛잖게만 보내고 나만 돈만 절딴 났다 그래갖고 나중에는 어디서 여자를 하나 왔는디 여자가 모자라도 겁나게 모자라고 아주 그런 여자가 우리집서 같이 살다가 인자 그러기 전에 우리 집서 살면서 그때는 아버지도 계시고 어머니는 안 계신데, 아버지도 계시고 한디 나이가 한 30이나 먹었는가 농약을 처 묵어갖고 뒤지게 생겼어도 나는 뒤져부러라고 냅뒀는디 아버지가 큰 집이 성한테 가갖고 니가 서둘러야 살리지 그러하면 그저 내갖고 할 수 없이 저녁에 택시 불러가지고 순창병원이라고 그러는 순창병원 한 군데 있는데, 거다가 다 해갖고 사흘 만에 그저 되왔는데 그때만 해도 쌀이 몇 가마니값 들었다 또 그 뒤에 살다가 넘의 고추밭에 가서 고추를 따다가 팔아먹다 들켜놓고 절도죄로 광주 교도소로 들어가에 있는 또 그것을 아버지가 자식 일어나났어 뒤로 둘 수 없다 해갖고 큰집이 성이 그럴 때 재벌이고 말 노릇이 좋아 같이 또 검찰청에 가갖고 그때게 빼내온 데만 해도 논 서마 지기 값이 들어가 버렸다 그래 갖고 와서 삼선 각시 얻어 갖고 애기까지 낳는데 지금으로 말하면 애기를 구타를 해 갖고 죽였는갑다 그때에는 동쪽에 가서 빈집 하나 얻어갖고 서이 살고 있는데, 그때에는 부지런한게 사방에서 일을 하라고 그래갖고 벌어먹고 살만하고잉 살고 있는데, 나중에 알고 본게 애기는 죽었어 밭에 파묻어 불고 각시 나가불고 얼마나 있다가 한 몇 년 살다가 나중에는 지가 자살을 해버렸다 그래 가지고 초상도 내가 다 치고 여태까지 그러고 살았다.

*

60년도에 군대 영장을 받아 군대가 갈 때에 돈 동네 분들이 몇 푼 주는 걸 순창읍내에 가갔고 만식이하고 오채하고 옷을 한 벌씩 사서 보내불고 10원도 없이 논산훈련소를 갔다. 가서 보니까, 딴 애들은 돈을 다발로 갖고 왔는디 나는 돈 한 푼도 없으니까. 선임하사가 찬찬히 쳐다보더니, 웃드라. 그런 다음날부터 소대에서 뭣 한다. 뭣한다. 돈을 걷기 시작하여 나는 돈이 없어 못 주고 선임하사가 많이 봐줬어 훈련을 마치고 전방에 가서 64년도 5월 14일날 제대를 했어.

우리 막내(나로서는 다섯 째 숙부) 어릴 때부터 얘기를 한번 해볼까 한다. 쪼그만했어.

부모님 저그 정읍 가서 소쿠리 만들어 판게 그거를 따라간다고 뜨갱이를 써 구렁리까지 가서 잡아도 안 되고 걍 보내버렸더니, 따라가지고 말썽만 부리고 부모님께 혼만 나고 보름 후에 왔어 집에서 인자 학교를 다니고 국민학교 졸업을 하고 중학교는 못 가고 나이가 열칠팔 살 되었어 팔덕 우체국장을 내가 잘 알아 집배원으로 넣어 줬다.

그랬더니, 이 년간을 잘 다니다가 편지 배달 같은 거 우편물을 각자 집에 전달을 해야 한디 소통하오진 않았다. 집 얻어불고 자빠져서 돌다가 오고 나는 그런 지도 모르고 출퇴근만 하고 애썼다고 칭찬해주고 했는데 나중에 우체국장이 나를 만나자고 했어.

가보니 그러니 도저히 둘 수가 없다고 그래 가지고 할 수 없이 모가지를 잘렸다 그래 가지고 집에서 일도 안 하고 일을 하면 허는 둥 마는 둥 그래 갖고 나한테 꾸중도 많이 묵고 인자 농촌지도소 4H 회장을 맡아갖고는 회장들 돼지 새끼를 한 마리씩 줬어 가서 키워서 가져오라고 했는데 돼지 새끼를 지기 형수가 순창에서 받아 갖고 그때에는 먹을재란 재를 걸어서 순창을 다녔는데 먹을재 오다가 돼지 새끼를 빠쳐버려 가지고 고놈 잡느라고 고생께는 했는갑드만 그래도 우리 마누라는 그렇다 저렇다 말도 안하고 돼지를 잘 키우고 있는데, 이 썩을 놈의 새끼가 돼지를 팔아먹어부렀어 나는 그래서 농촌 지도소 돈을 갖다 준 줄 알았더니, 안 주고 써버렸어 그러자 지도소 직원이여 앞마을 동고 사는데 나오고 친구 썼는데 와 가지고는 할 수 없이 자네가 갚아야겠네 그래 가지고 그때부터 나도 복잡한 판인데 헐 수 없이 돼지 한 마리 값을 이자 쳐서 값 고 나서니 쌀 세 가마이 값이 들어가버려 그러고난 그래도 나가도 안 오고 내 밑에서 있는데, 나는 순전 둘로만 댕기느라 집안일은 잘 모르고 있는데, 농사 지어다가 가을이면 나락가마이 쟁이노면 나랏가마이 다 빼다가 팔아먹고 그때는 농사를 많이 지을 때라 한 가마니 없어서 없어진 줄을 몰랐는데 나중에 알고 보니 그 자식이 빼달아 팔아묵고 또 그때게는 동네가 구판장이 있고 담뱃집이 한 집에서 세를 동네에다 세를 얼마 냈고 하는데 그 구판장을 더 털어갖고는 그때는 전기세를 구판장에서 받고 전 구판장에가 돈이 상당히 날마다 많이 있었는데, 나중에 알고 보니 그짓을 오채가 했다고 헐 수 없이 내가 그 돈을 다 물어주고 아주 웬수가 된 막내였다.

지금도 어디가 디졌는가 살았는가 모린디 큰딸 여울라고 날 받아다 놓고 그것이 와서 찾아왔어 겉은 번지르게 하고 와갖고 어디서 뭐하냐고 긍게 치과 이빠지 기공을 하고 있다고 어디서 허냥게 전라남도 장흥서 한다고 해갖고 작은 성하고 나하고 장흥 갸들네 집을 찾아갔다 그때 이 남의 집을 한 채 얻어 갖고 깔끔하게 해 놓고 살고 일 있어 우리는 믿고 지가 농방도 잘 알고 거시간 다 해갖고는 그때게 돈 농값 100만 원을 주고 며칠날까지 돈을 길으라 하고는 왔었다 나중에 결혼을 하고 얼마나야 이승게 이것이 처음에 남원서 농방에 가서 일을 심무름을 해주고 배달해주고 했었 경험이 있어 갖고는 거 가서 남자는 없고 여자만 있는데, 가갖고는 가구를 싣고 돈도 안 주고 딸네 집에다가 갔다가 드리고 주거는 온 모냥이여 그런데 딸이 연락이 왔어 아니 농방에서 이리저리 했어.

농을 오늘 실어 갈란다고 하지 웬일이냐고 긍게 어찌 된 일이냐고 나보고 딸이 그렇게 전화가 왔어 그랬어.

그러면 그 사장을 나하고 만나게 해라 그래 가지고는 됐지 순창읍내서 만나갔고는 아까 하는 대로 저도 없고 자기 마누라만 있는 데서 농을 골라가 돈 10원도 안 주고 가져와 버렸어 차 운전수 보고 거기를 찾아갈 수 있겠냐 본게 찾아갈 수 있겠냐 본게 찾아갈 수 있을 것 같다고 해갖고 차 운전수가 두르꼬 왔어 이렇게 됐다고 그러게 나 농값이 얼마냐 본게 130만 원이라고 그려 그때만 해도 내가 순창 됐어 돈 200만 원 꿀라면은 말 한마디만 꿔가 갖고 꾸어서 주고 보내고 뒤에부터 이 나쁜 놈의 새끼는 지금 디졌는가 살았능가 그러자 첫 그러기 전에 집에 와가지고 뭔 사업을 한디 돈이 좀 부족하다 해갖고 작은성하고 나오고 둘이 해서 한앞에 800만 원씩 둘이 1600만 원을 해주 뭐 한 달 만에 쓰고 오신다 해갖고 해줬더니, 뒤로는 여즉 소식이 끊어져서 디졌는가 어쨌는가 연락이 없다.

그거는 웬수다 웬수

**

아, 4년을 넘게 군생활을 하셨구나. 간혹 아버지의 군 생활에 대해 들은 적이 있다. 내가 받은 느낌은 무지개. 뭔가 아련하기는 하고 때론 아름답기까지 하지만

왠지 나의 것은 아닌, 슬픔이 오롯이 묻어있는 손수건 한 장 같은 느낌. 군대 생활보다 제대 직후의 상황이 더 리얼했다. 오형제 중 셋째인 아버지는 천성이 부지런하셨다. 가만히 있지를 못하고 뭐든 하려고 하신다. 설령 당신이 잘 못하더라도. 이건 나의 성정과 비슷하다. 나도 맨날 아내한테 쿠사리 듣지만, 잘 하든 못하든 꼭 해보려고 한다. 좋은 말로 포장하면 도전 정신이고 창의력이다. 안좋은 말로 하면 허섭쓰레기 정도...

그때 당시에 제일 큰 백부는 장가를 가셨을 테고, 둘째 백부를 장가보내기 위해 아버지께서 나름 애쓰셨다는 말을 들었다. 이것저것 모아서 살림살이도 장만해드리고 중간에서 교통정리 하시느라 맘고생 몸고생 하신 것으로 안다. 하지만 바로 아랫 동생, 작은 숙부와 막내 삼촌이 늘 문제였던 것 같다. 작은 숙부는 아주 뒤늦게 겨우 겨우 장가를 가셨으나, 끝내 단명하셨다. 내 기억으로는 그 놈의 술이 웬수다. 오죽하면 성을 갈아 술00이라는 별명이 붙었을까나. 막내 삼촌은 지금도 생사를 모른다. 가족과 연을 끊은 지 한참 되었다. 가족 핑계로 보증을 서게 하고 떼어먹고, 뒷수습은 아버지, 둘째 큰아버지가 다 하시고.

내가 초등학교 땐가 추운 겨울에 막내 삼촌이 왔다. 옆에는 번듯한 아가씨를 대동한 채로. 와 삼촌이 이제 결혼을 하려나보다, 했던 시절이었다. 근데, 가만히 보니 아버지의 표정이 떨떠름 했다. 유난히 머리가 긴 싸구려 화장품 냄새를 풍긴 그 '아가씨'가 나는 마음에 들었는데. 나중에 알고 보니, 어느 다방에서 일하시는 사람이었단다.

이 막내 삼촌은 잘 웃었다. 키도 나름 훤칠했고 미남형이었다. 우리는 어른들 부름 따라 '오채삼춘'이라고 불렀다. 한 번은 옆 집 아들 4형제인 집의 두 아들과 딱지 치기를 했다. 힘에 부친 내가 딱지를 다 잃고 엉엉 울고 있으니, 슈퍼맨처럼 등장한 삼촌이 씨익 웃었다. 바로 커다란 달력을 이리저리 접어서 졸라 큰 딱지를 만들어주셨다. 물론 그 날 딱지는 다 내가 땄다.

바람처럼 왔다가 이슬처럼 사라지는 게 우리 인생이라지만, 이 오채삼춘도 그랬던 것 같다. 한때 집에 '경향신문'이 배달된 적이 있었는데, 이것도 삼촌이 구독한 거였다. 물론 구독료 한번도 내지 않고, 그 신문은 끝내 끊을 수밖에 없었더랬다.

어쨌든 이 대목에서 아버지는 상당히 길게 토로하셨다. 모르긴 몰라도 다양한 감정이 사무치신 것 같다. 애증의 감정 말이다. 특히 말미에 "웬수다 웬수" 이것이 인상적이다.

*

집에 와보니 집에는 아무것도 없고 먹을 것도 없고 어머이 부모님은 저그 칠보로 대바구니 장사를 가불고 큰집에서 작은성 세경을 받아 갖고 장개는 보냈는데 내가 제대를 하고 나니까 성 가 일을 헐 생각을 안 하고 마라불길래 할 수 없이 내가 가서 6개월을 채우고 왜 그랬냐 하면 안 채우면은 6개월 산 것이 무효가 돼 버려 그러고 큰 집에 성이 동생이 순옥이가 있는 수목이라고 있는데, 숙성한 게 넘 두기는 어렵다고 나보고 1년 있으라 해갖고 1년 동안 쌀 80키로 여섯 가마니를 받기로 하고 산디 세상에 독하기를 큰아버지는 마당에가 가을에만 산덩어리 같은 놈은 나락 뒤지가 세 개 네 개일 수 있었고, 우리 집은 논 서마지기 큰집서 준 묵갈림 짓고 있는데, 고놈에서 왔어 선자들 받아간다고 시로 까불라갖고 선자를 갖고 가고 그걸 그때부터 내가 나는 이렇게 안 살아야겠다.

하고 맹세를 하고 나도 언젠가는 마당에 나락띠기 있게끄름 하고 살아야겠다는 것을 생각을 하고 결심을 하고 그때부터 살림을 내가 쳐잡고 내가 하기로 내 마음을 묵었다 그리고 쌀 여섯 가마니 받아가서 송아지를 한 마리 사고 그때에 쌀 한 가마니면 80키로 한 가방이면 지금 돈으로 돈도 3만 원이다. 송아지 한 마리 사고 그 송아지를 팔았어.

옛날로 돌아가 부모님과 큰집이 큰아버지 큰어머이 얘기를 좀 해볼까 합니다.

큰집이는 백석 밥 받는다고 자랑한 사람이 동생 된 아버지한테 손바닥만한 집터 선자를 나락 서말씩을 꼬박꼬박 받아다가 내가 선자 못 주었다구 동생한테 그거 나락 서말 반 받아다가 얼매나 더 잘 살 것이냐고 못 준다고 그래 갖고 안 줘버렸다. 그런데 큰아버지는 얼마나 독살시런 사람인고 신발도 안 사주고 집사 마시느라고 신발 안 사준다.

딴 사람들은 머심 들이 농가 신고댕인데 나는 짚신 삼았어. 짚신 신고 다니고 그때 돈으로 300원은 나이롱 띠꾸리가 나왔는데 그 띠꾸리 하나 사오라고 그렇게 해도 하나를 안 사주고 그렇게 독살시런 영감탱이다.

머슴산 세경도 쌀 80키로 여덟 가마인데 그것도 한 번에 착 안 주고 이리저리 꾀로만 떼질러 나가고 그렇게 해갖고 살림을 모았는데, 내가 살던 해 마지막 살던 해 나락 싹 들에서 집으로 지어다가 홀테로 홀튼데 그것도 놉 하나 안 얻고 식구질에 홀고 홀케로 홀고 내가 살던 해 들에서 나락 전부 지어다가 비늘을 산더미 같은 놈 5개를 해 놓고 수확을 계산해 보니까 대치 백석이더라 내가 큰아버지 말로 백석했구나 말 한마디 듣고는 백석이 마지막이었다.

시나브로 까먹기 시작해갖고 현에 오늘까지는 내가 스물여섯에 그런 소리를 들었는데 지금 내 나이 여든 서이가 되자 그 영감탱이는 디질 때에 치매 걸려 갖고 디지고 지금은 큰집 살림 해봤자 내 살림 절반도 못 된다.

*

집 짓고 여기 와 살 적에 한참 살림이 일어나는 무렵인데 큰 황소 부릴 소를 사갖고 1년이면은 넘의 논을 백마지기를 맡아 갈고 우리 갈고 결국에는 소가 발이 다 닳아져 갖고 걸음을 잘 못 걷고 나도 그때에는 물장화가 있을까? 뭣이 있을까?

맨발로 논 갈면은 반바지 입고 문원에 철벅철벅 갈면은 발자국에 물이 튀어서 가랭이까지 튀어올라고 결국은 나도 다리가 다 타갖고 선물이 한번 벗어야 1년 농사를 짓고 그거 인자 갈삯 받고 뭣하고 그러지 못하겠고 돈 모아서 진짜 살림이 늘어나기 시작해갖고 중간에는 또 한번 암소 일 잘허는 손디 남의 초상 난 데 가서 일 해주고 내가 멍청한 놈이지 술짐에 밥을 남은 놈을 갖다가 소는 밥을 많이 먹으면 죽는다는 걸 모르고 그래 가지고 소가 죽어불고 결국에는 소고삐를 아덜 처갓집이 장안 사둔네 집에서 송아지 난 놈이 있다 해갖고 고놈을 갖다 키워갖고 또 부릴 소를 지어갖고 그리저리했어. 사람이 나도 나는 일을 한 번 거시기 하면 놀 줄을 모르고 계속 오다가 24년 간을 소똥구멍 돌아다니고 이러다가 또 소는 인자 안 된 게 경운기 사갖고 경운기 갖고 인자 또 넘의 논 맡아 갈고, 그럭저럭 사는 것이 여태까지 살아온 기억이다.

**

군대를 제대하고 집이라고 와보니 아무 것도 없었다. 빈둥빈둥 거리는 형과 아직은 어린 동생들이 있었고 부모님은 타지로 생업을 하러 갔다. 아버지는 생활력이

강하셨다. 자존심도 셌고 사리판단이 빨랐던 분이다. 4년 이상을 군생활 하고-그동안 집에서는 면회를 가기를 했을까, 휴가라고 집에 와보기를 하셨을까. 오히려 속상했기에 차라리 군대가 편했을지도 모른다. -그래도 제대를 해서 집이라고 와보니까 그야말로 개판 오분전이었던 상황이었을 것이다.

책임감이 강한 이 양반은 일단은 둘째 형 장가보내기 프로젝트를 가동했다. 바로 큰집에서 머슴살이를 하신 것. 이미 6개월을 일을 했기에 나머지 6개월을 채워야 1년 계약이 성사되는 모양이다. 난 이 이야기를 몇 년 전에 들은 적이 있다. 회한에 가득한 낮은 음성으로 그 당시를 읊조리던 당신을 보면서 생각한 시가 서정주의 '자화상'이었다. 첫 문장이 "애비는 종이었다."로 시작되는 이 시를 읽을 때면 숨이 탁탁 막혀왔다. 누구는 남 얘기하듯이 시큰둥한 목소리로 읊어대지만 누구에게는 글자 하나 하나가 가슴을 아려내는 면도날이었던 것이다.

내가 어릴 적 큰집은 우리 동네에서 제일 부자였다. 기골이 장대하신 큰할아버지가 생각난다. 우마차를 끌고 댕기며 동네를 휩쓸고는 바로 그 소를 부려 논밭을 갈아대던 큰할아버지! 다만 큰할머니께서 유난히 잔정

이 많으셔서 누구네 샛거리를 펼칠 때 꼭 멸치야 콩자
반이야 밥을 가득 담아 주시던 모습이 아른하다. 그 큰
할아버지는 나의 할아버지와 형제간이었다. 그런데도
당신 조카인 아버지를 하대하시고 종부리듯 굴리신 것
이고 그것이 아버지께서는 큰 한이 되었던 것 같다.

큰할아버지의 큰아들, 그러니까 나로서는 당숙께서는
얌전하신 분이셨다. 흠이라면 술을 좋아하셨다. 그 당
시에 고등학교까지 나오셨기에 이런저런 명함을 갖고
계신 것으로 기억한다. 당신 말년에 우리 집에 종종 오
셨다. 동쪽 골짜기에서 터벅터벅 내려오셔서 우리집 마
루에 앉아계시면 엄마는 막걸리와 김치를 챙겨 주신다.
당신은 연거푸 막걸리만 들이켜고 "잘 묵었소. 제수씨"
하시며 가셨다. 그렇다고 아버지와 이런저런 얘기하시
는 것도 아니다. 말씀이 거의 없으셨다. 내가 대학생일
때 돌아가셨는데, 아버지께서 당숙 옷을 들고 지붕 위
에 올라가 '초혼'을 하셨다고 들었다.

머슴 새경으로 쌀 여섯 가마를 받고, 둘째 큰아버지
를 장가보내시고 송아지를 한 마리 장만하신 모양이다.
가을이면 마당 가득히 나락가마가 쌓인 큰집 살림을
보면서 드디어 송아지 한 마리를 장만하신 아버지의

마음이, 감히 상상이 안된다.

당시 소는 가축 이상이었다. 언젠가 한번은 우리집 소가 시름시름 앓다가 죽어 버렸다. 아직도 정확한 원인은 모르지만, 소밥을 잘못 준 것으로 보인다. 오랫동안 동고동락을 했던 놈인데, 영 마음이 허했다. 그래서 달구지(닭) 몇 마리를 키우던 참이었다.

내가 장안 처갓집에 가고나서 한 시간이나 지났을까, 전화를 했다.

"아부지, 전데요. 지금 우리 외양간 좀 깨끗이 치우쇼 잉,"

"워쩌그냐. 외양간은 항상 깨끗허제. 내가 일주일에 한 번썩은 소제허니께."

"여그 장안인데요. 마침 일주일 전에 소가 새끼를 낫대요. 그래서 우리집 사정 말씀드렸더니, 흔쾌히 가져 가라고 하시등마요. 마침, 처남이 와 있어, 지금 경운기에 소 실고 갈려구요."

내가 아는 건 여기까지다. 그 소가 몇날 며칠을 울고불고 하다가 결국은 적응을 했고 송아지를 몇 번이고 생산했다는 얘기를 들었다. 이걸 생각하면 난 장인어른께 정말 잘 해야 한다. 어느 누가 선뜻 살과 같은 소를 내어주겠는가. 지금 생각하니 나도 참 어지간히 낯짝 두껍다는 생각이 든다. 말 나온 김에 장인 어른을 소개해야겠다. 내가 지금의 아내를 마음 속에 두고 있었을 때였다. 아버지께 이런저런 사정을 말씀드렸더니 이유 불문하고 반대하셨다. 자세한 사정을 모르는 나는 이해가 안됐다. 도대체 왜 그러시는지 그 마음을 알 수가 없었다. 그러던 어느 날 약주를 드시고 오셔서 속마음을 얘기하시는 거다.

"예전에 저짝 덕진국민핵교 옆에 나락공판장이 있었잖냐. 아 거기서 위아래 동네 사람들이 농사 지은 나락들을 싣고 와서 등급을 매기느라 겁나 시끌벅짝 혔었다. 해마다 가실에는 서로 얼굴들을 보니께 수인사는 안했어도 서로 누군지는 대강 알거든... 서로 막걸리가 몇 잔씩 돌아감서 윷놀이 할 분위기가 잡혔어. 그래서 우리동네 하고 장안리 사람 둘이 윷을 놓았는디, 거기서 그만 서로 삿대질을 하고 주먹다짐을 혀부렀다."

그 시간들을 빛바랜 사진첩을 넘기듯 하나 하나 되뇌이던 아버지, "근디 네 말 들어봉게 아 그 아가씨의 아버지가 바로 그 사람이더란 말이씨."

지금 장인은 담배도 안하시고 술도 거의 안드시는 축인데, 예전에는 좀 호탕하게 음주가무를 즐기셨다고 들었다. 이 얘기를 했다는 것은 아버지가 어느 정도 마음을 정리했다는 걸 의미했다. 아버지보다 한 살 연배신데, 키도 크시고 성격 또한 꼬장꼬장 하셔서 일처리가 야무지시다. 무엇보다 담배를 좋아하셨는데, 단번에 끊으시는 모습이 인상적이었다.

*

(송아지 판 돈을) 달리 쓸라 했는데 지금 마누라하고 중신을 들어왔어. 나는 장개를 안 가고 좀 이따 간다고 하는 판에 옆에서 보다 이거 갖고 26에 결혼을 했고 26이냐 일곱이냐 했고 뒤로부터 한 1년 있다가 2년 있다가 그러자 작은 엄마로서 작은 언니가 광주에서 부자로 살아 여인숙을 하고 돈이 엄청 부자였다.

그런데 이모가 손을 못나 능을 들었고 있어 그때에는 자주 다니고 엄마가 가 갖고 엄마로서는 언니제 둘째, 언니 언니 보고 우리 동네 집이 쪼그만 놈이 하나 나왔으니, 그놈 사달라고 얘기를 한 게 이모가 그때 또 10만 원 지금 돈으로 따지면은 2000만 원이다.

근데 돈 10만원 갖고 집을 살라고 인자 가니까 집을 자기 집안에서 산다고 그래갖고 내가 집을 짓기로 마음을 먹었다. 그러자 신덕 가서 지금 살고 있는 집이 새로 지어 갖고 얼마 안 됐는데 팔라고 내났어 그 집을 흥정을 내는데 13만 원을 내고 계약을 하고 땅을 살라하니 지을 땅이 없어서 땅 요것을 그때 돈 20만 원을 줬다 그러니까 돈 십만원 갖고 20 그러니 얼마나 거시기 했을까?

**

　이 얘기는 내가 처음 듣는다. 내가 아주 어릴 적 우리 집은 동네에서도 한참 깊숙한 일명 안골짜기였다. 동네 초입에서 한참을 걸어가다보면 금세 어두워진다. 날은 여전한 한낮이지만 사방이 대나무로 둘러 쌓였고 여기저기 비집고 나온 죽순들이 즐비한 전혀 다른 세

계로 들어온 형국이다. 작은 개울이 흐르고 가끔씩 닥
나무 찔레, 산딸기 넝쿨들이 좌우로 가득한 좁은 길을
지나면 우물이 하나 나오고, 거기서부터 30도 이상 되
는 경사로를 따라 올라가면 나오는 곳이 바로 우리집
이었다. 내가 한 다섯 살때까지 살았던 것 같다.

그러니까 지금 현재 이 집의 역사가 근 50년은 된 모
양이다. 몇 년 전에 이 집에서 지네가 자주 출몰했었
다. 심지어는 몇 번을 물었던가 보다. 그간 두어 차례
리모델링을 했는데 작은 방은 차마 어떻게 할 도리가
없었다. 한번씩 시골에 내려갈 때 시간을 내서 치우곤
했다. 내가 방위 받을 때까지 사용했던 방이라 애착이
가기도 했던 나의 청춘이 고스란히 배어 있는 곳이었
다. 유난히 우풍이 심해 이불 덮고 누우면 찬바람이 코
끝을 씽씽 지나가곤 했다. 누나와 여동생에게 양해를
구하고 이번 기회에 작은방을 완전 리모델링 하기로
했다.

기존의 집을 새로 고치시기는 했으나, 부엌, 거실, 안
방만 손보시고 작은 방은 내버려두셨다고 했다. 시골이
라 화목 보일러를 때는데, 장작이 필수다. 나무는 쌓여
있고, 작은 방은 이런저런 짐들로 복잡한 상황에서 지
네가 몇 번 출몰했다고 들었다. 지네 잡은 약을 놓아도
별 소용이 없다는 말을 듣고 이번 기회에 전면적으로

공사를 하기로 했다. 결과적으로 기존의 가운뎃 방과 작은 방을 합쳐서 넓은 방으로 만들었고, 새롭게 화장실도 들였다.

*

그래도 옆에 사람들이 도와주고 돈 빌려달라믄 말 안하고 빌려주고 그때에는 이자도 비싸고 그래도 신용 없는 사람은 남의 돈 쓰도 못해. 그런디 나는 돈 있는 집에 알멍 갔어도 돈 좀 쓰자고 하면, 두말 안하고 빌려주고 그리고 해갖고 집을 짓고 산디 이제는 집 짓기 전에 집 지어놓고 진 뒤에 제일 좋은 일은 뭐 한 가지 것이냐면 우리 아들이 고등학교 삼학년인 디 팔덕서 나오라길래 나갔더니, 팔덕 유지들은 다 모여놓고 한 백여명 된디 나보고 아들 장학금을 탄다고 앞으로 나오라 했어.

그때가 제일 좋았고 두 번째 좋은 것은 우리 아들 서울서 학교 합격했다고 할 때 좋고 세 번째는 딸 여울 때 아덜 여울 때 그때가 참 맘 좋고 그때에도 너무 빚속에 살았다.

**

    장학금? 금시초문이다. 이 얘기는 내가 기억하는 한 들어본 적이 없었다. 그래도 장학금 받으셨던 그때가 좋은 추억이었다고 하니까 기분은 좋다. 이 부분에서 아버지께서 은근히 자기 자랑을 하신 거라 생각한다. 신용이 좋아서 돈 빌리기가 쉬웠다? 궂은 일, 다들 마다하는 일도 당신 몸 아끼지 않고 뛰어들었던 아버지다. 이해관계를 따지지 않고 뭐든지 열심히 해주었던 덕에 동네 사람들 인심도 사고 덩달아 신용이 쌓였던 것이다. 명절 때면 동네 사람들이 사과 박스 배 박스 돼지고기 소고기 소주박스를 우리집에 보내곤 했다. 그러면 아버지는 나름대로 이것 저것 바리바리 챙겨서 답례의 선물을 보냈다. 절대 입을 씻어버리는 일은 없었다.

    여기서 아버지의 특유한 면모를 볼 수 있다. 근면, 성실, 신의. 지금 생각해보면 유식한 문자로 표현을 하지 않았을 뿐 아버지는 당신 스스로 어떻게 사는 것이 제대로 사는 것인가를 치열하게 고민하며 살아오셨던 것이다. 외상을 하면 반드시 제 날짜에 갚았고, 술을 한 잔 얻어 드시면 반드시 술을 한 잔 사셨다.

*

　논 산 것은 정부에서 농지 구입 자금이라 해갖고 500만 원을 줘서 논도 사고 승자가 처녀 때 서울서 벌어서 적금 탄 것이 800만 원을 나 주었어. 돈 보태고 해갖고 사고 승자는 객지서 돈 범서 집에 살림이야 집에다 썼제 헛건대 쓰지를 안했다.

**

　내가 어릴 때부터 우리집이 가난하다는 것을 난 본능적으로 알았다. 일단 우리 소유의 논이 구룡리에 있던 3마지기, 200평 정도 되는 밭뙈기가 전부였다. 시골에 살면서 땅과 소가 있으면 부자다. 외양간에 소는 3마리 였던 것이 최대였다. 부끄러웠다. 솔직히 원망스럽기도 했다. 중학교 때 담임선생님이 무심코 '생활보호자' 명단을 불러 준 적이 있었는데 처음에는 그게 뭔지 몰랐다. 가난한 사람은 나라에서 의료혜택을 준다는 것임을 알고 왜 그리도 창피했던지. 왜 우리집은 이럴까? 왜 논이 없을까? 농사는 겁나게 지면서 가난은 계속될까? 죽어라 일만 하면서 결국은 남 좋은 일만 시키는 거 아닌가? 그렇다고 부모님이 게으르다거나 대충 대충 일하시는 것도 아니었다. 새벽같이 일어나 새벽 이슬맞고 논밭을 돌보시고 저녁에는 술과 피로에

절어 곯아 떨어지셨다.

밑빠진 독에 물붓기였다. 아무리 빠르고 많이 물을 붙는다 해도 결국은 다 새버렸다. 남의 농사인 묵갈림이란 게 빛좋은 개살구다. 부익부 빈익빈이란 단어가 정확하다. 열심히 일한다고 그에 비례해서 살림이 나아지지 않았다. 우리 사회구조가 그랬고 특히 우리 농촌이 그랬다. 결정적으로 부모님은 못 배우셨다. 배움이 짧아도 그냥 열심히 하면 되는 것 아닌가? 그러면 몸만 축났다. 난 그래서 철이 좀 일찍 들었다. 이 고래심줄보다 질긴 가난의 끈을 어떻게 끊을 것인가를 고민했다. 방법은 '공부'였다. 다만, 아쉬움은 있다. 그 당시 내가 믿고 따를 수 있는 멘토가 있었다면 얼마나 좋았을까. 내 주위는 다들 별볼일 없는 사람뿐이었다. 그렇다고 책을 마음대로 볼 수 있는 환경도 아니었고 무슨 책이 좋은 지도 몰랐다. 지금처럼 인터넷이 깔렸으면 구글링을 하거나 수많은 정보들을 좀더 정확하고 빠르게 얻을 수 있지 않을까.

훗날 누나가 아버지와의 추억을 얘기했다. 서울 생활을 청산하고 순창읍네 한 회사를 다니고 있었다. 사정이 생겨서 버스가 동네 앞으로 지나가지 않았다. 누나는 30분을 걸어서 버스를 타야 했다. 퇴근 후 지쳐서 버스에 내린 누나는 경운기를 세워두고 있는 아버지를 만났다. 놀란 누나는 웬일이냐고 물었고, 아버지는 "우리 큰 딸 태우러 왔제." 하고 답하셨다고. 아버지에게는 기억이 없다고 하지만 누나는 그 때를 얘기하며 눈가가 살짝 젖어있었다. 누나의 마음, 감히 짐작할 수도 없었다. 30년 전도 지난 일이었다.

제2화 구술 2

*

어제까지 어떻게 얘기했는가 모르겠다.

그렇게 곤란하게 집을 시작을 했는데 집은 그럭저럭 지키는 지었어도 빚이 어마어마하니 짊어졌다. 그때 되는 빚도 이자도 5프로 색깔에도 쌀 한 가마이 갖다 먹으면 단 말을 좋아하고 그런 세대였었는데 그래도 빚을 다 갚고 어떻게 살다 보니까, 이제는 밥을 넘을 주고 먹고 살 정도가 되고 보니 밥 먹자 많이 먹지 않은 부모님의 반대로 내가 해크스크 했었는데 인자 난 안타깝다 사람이 살다 보면 별로 거리에 다 있어

나는 부모님한테 불효를 안 하려고 했는데, 해놓고, 보니 불효가 되어 마음이 아프다. 이제는 아무 걱정 없이 아들딸 다 잘되고 부모한테 효도 하고 효자들이 내가 아무 걱정 없이 살고 있다.

**

아버지의 아버지는 어떤 분이셨을까. 가끔 생각이 난다. 나의 할아버지 할머니는 어떤 삶을 사셨을까. 아버지가 말씀하시는 불효는 그냥 하는 말일까. 통상적으로 불효자는 웁니다라는 노래도 있잖은가. 지금까지 살면서 아버지 입에서 할아버지 할머니를 성토하는 얘기를 들은 적이 없다. 가난을 물려주고 빚을 남기고 돌아가셨는데, 그리고 그 수렁에서 나오느라 젊음을 다바쳤는데 원망은커녕 불효라니, 회한이라니.

*

나로서는 큰집이지 큰아버지 빨리 된 양반인데 양반이 일자무식하고 아무것도 모르고 등치만 호남에서 일등 간 장사였다.

*

근디 이 양반이 살림을 모을 적에 너무 먹는 사람들 지 떼주고 그래 갖고 살림을 모아서 부자가 됐는데 그러고 보니까, 넘 못 올리시지만은 좋은 것이 아무것 도 없더라 지금으로 말하면 100억 재산인데 1년도 못 가서 다 깨묵어불고 현애는 새끼들이 다 거지가 돼 갖고 사는 꼴이 되었다.

*

그러니까 넘 못 할 일을 시기 갖고 한림 온 사람들은 우리 동네를 두고 봐도 몇몇 사람들이 다 그런 사람 들은 단대 살림을 더 많이 모아 끝장에는 볼 것이 없 이 거시기 하더라

*

내가 큰집 있어 머시고 살 적에 할아버지가 밥 많이 나온다고 부엌에 가서 며느리한테 손가락질하고 밥만 다 깨끔한단 말이야. 그렇게 지루한 양반 있었다. 그러 니 며느리는 머시기 밥을 많이 먹어야 일을 잘하지

밥 안 먹고 어떻게 이리 하고 싸우기도 내가 몇 번 봤다. 그래도 큰 집의 성은 나한테 그렇게까지 그저 성 때문에 1년 산 것이 양반 때문에 살았다.

*

장가 들고 삼선 아주 형편없는 장가도 나는 그래도 몇 년 지나고 보니 살림이 좀 그때에는 너무 빚을 낼라멍 농협에 가서 차용증을 써야 한디 차용증을 쓸 줄 몰라서 애를 먹고 참 우세 샀고 추접쓰러웠다.

보증을 서이 심어야 빚을 지금 돈으로 받으면 500만 원까지는 해준디 그 돈 이자가 5프로 줬다. 그래도 어떻게든지 빚을 추리감선 살았다.

*

아덜 서울로 대학 보내고 이들의 손에 뭔 이상이 있어 갖고 오른손에 수술을 했었다. 수술을 하고 어깨를 쓰지 마라겠어 안 썼더니, 어깨가 눌러붙어 가지고 아덜 대학 졸업할 때까지 안 나섰어 걱정을 하고 사람들 많은 데 가서 부닥치면 어떻게 할 것인고 이렇게 옷자락만 지나가도 애리고 아주 환장할 정도였었다. 그런디 인자 졸업은 무사히 마치고 서서히 나아졌다.

*

장가를 들고 나서 혼인생활을 시작하면서 마누라한테 멍청하다고 구탈도 많이 하고 꾸중도 많이 해 왔다만은 세상이 그런지 어찌하고 그래서 그래도 젊은 혈기에 함부로 했던 것을 아니 지금은 후회된다.

*

집을 잃고 빚이 엄청 많이 짊어져서 감당 못 하고 있는 판인데 그래도 순창 읍네 철물점이라고 만철이 형님이 그것을 많이 도와줘서 빚을 어느 정도 청산하고 형님 덕을 엄청 많이 봤다. 지금도 형님은 안 계시지만은 생각나면은 참 많이 덕을 받았다는 생각을 하고 싶다.

**

일성철물점.

순창읍네 시장 초입에 있었던 이숙의 일터다. 훤칠한 인물이었다. 항상 손에는 토시를 하고 있었다. 제대로 인사를 드릴 새도 없이 언제나 손님을 응대하느라 바쁘셨다. 중학생인 나보고 "응, 니가 그리 공부를 잘 한담서야? 그려 열심히 해라. 니 엄마아빠가 겁나게 좋아하시더라." 하시며 돈 천 원을 꼬깃꼬깃 쥐여주셨던 분이다. 이모는 그러니까 엄마한테는 사촌 언니인 셈이다. 정말 고우셨다. 항상 웃는 얼굴이었다.

나중에 들은 아버지 말로는, 이모가 복덩어리 였나보다. 어느 날 장사한 돈을 계산하면서 갑자기 풍이 온이모가 결국 돌아가셨다. 그 뒤로 급격히 가세가 기울고 끝내 이숙은 자살로 생을 마감하셨다.

1) 두 딸들

*

살다가 보면은 속상한 꼴도 많이 봤다. 첨에는 막내때문에 속상해갖고 또 나중에는 큰딸이 우울증이 와가지고 엄마아빠 놀래게 만들고 그때에는 만약에 딸둘이 다 이혼을 한다고 봐서는 나는 죽어불라고 맘먹고 마누라한테 물었다. 나 이러저러면 죽어불란디자네 어쩔런가 헌게 마누래 역시 나도 살아서 머 헌

다고 나도 죽어불란다고 그래야 그런 얘기를 허기래
아, 이거 이래서는 안되겠다. 마음을 다시 먹고.

**

지금은 누나와 동생이 잘 살고 있다. 하지만 젖지 않
은 꽃잎이 어디 있겠는가. 내가 철산 12단지에 살 때
누나와 동생이 한 이틀 정도 있었다. 누나는 지쳐 있었
다. 따로 기록이 없어 정확하지는 않지만, 고부 갈등도
있었고 매형과의 다툼도 있었다. 그 전에는 동생이 매
제와의 갈등으로 힘들어 했었다.

환경이 사람을 만든다고 했던가. 그 뒤로 누나는 열
심히 살았다. 2023년에 큰 딸 이안이는 결혼했다. 큰
아들 유현이는 순창군청에 공무원으로 들어갔다. 막내
서현이는 군대를 제대하고 제주도에서 알바를 하다가
다시 대학을 다니겠다고 한다.

동생은 결국은 이혼하고 좋은 사람 만나서 재혼했다.
큰 딸 예진이는 대학병원 간호사로, 둘째 예슬이는 임
상병리사로 일한다. 아들 채민이는 제대하고 나서 회사
에 다닌다. 누나는 전북 순창에 살고 동생은 광주에 산
다.

*

그러다가 보니 어느 새 나이가 여든 셋이 되었구나. 오늘도 아들 딸들은 자전거를 못타게 하는데 자전거 타고 읍에가 이상희 재활의학과 가 연골주사 맞고 또 순창병원 문재연이 한테 가서 손 x레이 찍고 손에는 뼈에는 아무 이상이 없다고 약만 이틀치 타 갖고 왔다.

**

아버지는 성격이 급하다. 시간 버스를 기다리지 못한다. 그래서 자전거를 애용한다. 생각나면 얼른 읍내에 휭 하니 다녀오고 팔덕면에 후딱 갔다 오신다. 집에서 보면 한시도 가만히 있지를 않는다. 잠깐 누웠다가도 어느 새 경운기를 끌고 들어오시고, 분명 코를 골고 주무신 것 같았는데, 장작을 패고 있다. 그야말로 신출귀몰이다. 마당을 종횡하며 한쪽 코를 막고 팽, 다른 코를 막고 팽 하시며 여기저기를 살피신다. 그런 양반이 지금은 꼼짝 마라이다. 몸이 불편하니까 마음대로 다니지를 못하는 거다.

2) 한겨울을 엿공장에서

*

집 짓고 빚이 엄청 많은데 그해 높은 피해라고 흉년이 들었다 그래 가지고 시한에 입벌이 할라고 서울 엿 공장에 가서 한 달에 6만 원 석 달 간 일하고 들어와 또 농사 준비 했는데 그 이듬 해도 종자 잘못해 갖고 또 몽땅 다 죽어불고 없었다 그래서 또 다시 시한에 입벌이 할라고 서울 엿공장에를 갔었다 그래갖고 1년 2년 3년간을 엿공장을 생활을 하고 그때게 현영이가 네 살(1979년?) 먹었는데 거기가 네 살 묵은 동갑쟁이가 있어 갖고 가 옷 입고 댕긴 놈이 눈에 들길래 현영이 거만 옷을 한 벌 사오고 돈이 10원 하나 못 쓰고 와서 빚진 놈 빚 갚고 그랬다 .

엿공장에 간 이유는 그때서 말고 순창읍네 만철이 형님이 논 열닷마지기 사준 논을 묵갈림을 지었는데 그때서 말고 높은 흉년이 와갖고 다 죽어불고 빈죽쨍이만 남아 시한의 입벌이를 해야할텐데 그러자 울 동네에서 나보다는 한 살 덜 묵은 설봉렬이란 사람이 나하고 참 친형님 같이 지네는데 갸가 서울 엿공장이 사람을 쓴다고 갈라냐고 물어서 간다고 해갖고 갸는 엿공장 주인이 집안도 고모 빨 되어 그래갖고 인자 먼저 가가지고 나보고 오라고 그때는 전화도 없고 편지로 왔다. 군대 갔을 때 차 타보고 촌놈이 광주 가갖고 고속버스 그럴 때 처음 고속도로 따갖고 개통할텐데 처음 고속버스 한번 타보니까 얼떨떨하니 갓 떨어진 게 밤중이 되었어 기도 엿공장이 겨우 지금으로 말하면 철산 밑에여.

그거는 그때에는 전부 논인데 논 짓도 않고 묵혀불고 한 백 몇 달어리 오막살이 집 한 채서 키워 갖고 있는데, 엿공장 사장이 그러다가 땅을 사갖고 그때게 내가 봐서는 철산 재벌이여 철산 재벌 그런디 그걸 어떻게 찾아갔냐면 이제 공장 굴뚝이 백미터 높이의 크게 있어갖고 그 굴뚝을 보고 택시기사보고 좌우간 영등포로 가자고 하니까 택시 기사들이 다마다고허야 근데 하나가 가자고 오더만 그래 가지고 그거를 이제 밤중에 찾아가는 게 다 자고는 가서 주인을 찾은게 주인 내 주인 집도 막 쳐놓고 살더만 산밑에.

산밑에 엿공장을 크게 지어져갖고 거기다 따로 방 들여갖고 일꾼들 나하고 봉열이 하고 첨에는 자고 그 이듬해 또 농사를 지은 것이 또 실농을 해부렀어 근게 농사진 비용이 그때 게난 쌀 한 가마이 한 가마이 세 그리 묵으면 열댓 마리 가마이 반을 줘야 해요.

그러니 고놈 저놈 이자가 안 돼갖고 빚이 많이 또 이 년째 인자 간 게 울동네 사람이 박인홍이라고 가도 올라오고 재우도 올라오고 그래갖고 우리 동네 사람들이 너이 인자 한방에서 자고 일을 하는데 일 분야들은 다 틀려 봉열이하고 나하고는 엿공장 엿을 고고 그 사람들은 재우는 돼지 담당을 해갖고 돼지 밥 주고 돼지 똥 치고 인홍이는 창고해서 일 봐주고 그러고 또 석 달이 되고 인자 농사철이 된께 들어오고 엿 공장도 겨울에만 시세가 있지 여름에는 시세가 없어 가지고 그래 갖고 와서 농사 짓고 농사 지어 갖고 인자 엿 공장에서 벌고 농사짓고 해갖고 빚은 다 갚아가는데 3년째 인자 또 농사 지어 놓고는 또 올라가 갖고 그때 게는 엿공장이 제대로 안 돌아가갖고 봉급을 받냐 못 봤냐 하는 판인데 그래도 다행히 집에 온다고 설 인자 설서 일어난 게 가득 가갖고 이제 안 온다고 항게 기도 한 동네 친정 동네다라고 해갖고 자기 아들이 돈을 마련해 갖고 봉급을 말한 대로는 더 주기로 하였는데 봉급을 받고 보니까 이 년 헌 놈 똑같애 그래 가지고 그냥 할 수 없이 와 갖고 인자 그뒤로는 엿 공장를 안 가고 집에 있어도 한 시간

씩 뭐 뭔 일이 없이 나무해다가 산 덩어리 같이 쟁여 갖고 팔아 묵고 비나오고 날이 구지면 놀고 그때 게 난 집에서도 쌀가마니가 딴 집에 가면은 몇 가마에 서 있는데, 나는 빚 갚자라고 농사 지어갖고 바로 빚 갚아불고 또 세 그릇 내서 묵고 그러다 보니까 결국 은 돈이 모아져갖고 논도 서마지기 사갖고 시나브로 인자 몇 년 가다 보니까 살림이 확 풀려갖고 밭도 사 고 밭도 닷 마지기나 사고 지금은 부자 안 부러빈다 는 걸 인정하제.

**

엿공장에 슬픈 사연이 배여 있었군. 난 농한기를 이용 해서 한 푼이나 더 벌려고 간 줄로만 알고 있었는데. 이제 보니 가을농사가 흉년이 들어 호구지책으로 찾아 간 거구만.

기억난다. 어릴 적에 아버지가 서울에 엿공장 가신다 고 했던 일... 그 실상이 이랬구나. 농사를 잘 못짓고, 흉년이 들고 겨울에 도저히 그냥 있을 수가 없어서 엿 공장에 가신 거였구나. 현영이가 4살이면 나는 8살일 듯. 누나는 11살이고...

옛날 겨울은 왜 그리도 추웠는지. 눈도 엄청 많이 왔더랬다. 한 번 눈이 올라치면 온동네가 겨울왕국이었다. 골목이고 마을어귀이고 전부 눈천지였으니까. 한낮에 햇빛기운에 처마에 길게 매달린 고드름이 녹아가는 모습은 지금도 생생하다.

아버지는 그때 서른 여덟이셨으리라. 당신 인생에서 가장 짱짱할 나이를 서울 구로 가리봉동에서 갱엿을 고고 계셨던 것이다.

*

그때 게는 원체 배고픈 세대라 밥 한 그릇 얻어 먹을라고 아침이면 남의 똥장군 세 번 네 번 구렁리 진등 주어야 밥 한 그릇 얻어먹고 그러고 살았다. 지금은 다 버리고 그러지만은 그때에는 비료가 없기 때문에 똥 받아서 보리밭에 하고 일부러 사랑방에 소매(오줌) 받아 갖고 거름하고 그런 시대였다.

*

지금은 누가 밥 공짜로 와 묵어라 해도 밥 묵으러 안 갈라 하고 그런 세댄데 그때게는 없는 사람들은 아주 없이 살고 부자들은 이자를 키운 게 부자가 되고 그러고 사는 세상을 지냈다

*

내가 처음 살림을 시작할 적에 큰집에서 머슴살이 일 년 반 해 가지고 쌀 80키로 여섯 가마니를 받았다. 받아가지고. 송아지를 샀는데 그때 송아지 한 마리에만 8000원, 근데 송아지가 밥을 안 묵고 석 달간을 고생을 했다.

*

그때에는 가축병원도 없고 소 거시기하면은 소 침 놓는 사람들이 있어서 여기저기 댕기면서 걸어 다니면서 침을 맞춰갖고 석 달이 지나고서야 겨우 밥을 먹기 시작했다. 그래서 그 송아지가 잘 커 가지고 1년 지난 게 3만 원을 받게 되었다.

*

3만원을 받고 팔기 전에 장개를 갔다와라 옆에서 했
사기에 돈 3만 원을 광주 이모한테 빌려서 소 팔면
주기로 하고 1년간을 키워 가지고 그 소로 장개 가고
살림을 시작했다.

3) 아! 슬픈 겨울 이야기

*

　장개를 가던 해 첫해 설이 돌아왔는데 눈이 많이
오고 추웠는데 그때가 처남이 12살 먹었는데 세뱃돈
탄다고 흰바우에서 여그까지 걸어와 나는 돈 한 푼도
없고 참 딱한 꼴 봤다. 야는 행이나 돈주깨미 쪽쪽 따
라다니고 나는 정월 초하룻날이라 어디 가서 돈 빌지
도 못하고 할 수 없이 기양 보내고 그런 꼴을 타고
살았다.
*위 음성을 접하고 너무 인상적이어서 전화 통화를 드
렸더니, 나중에 추가로 몇 말씀 보태셨다. 근데 별로

달라진 내용은 없다.

내가 장개를 동짓달 보름날 장가를 갔는데 한 달 후에 설이 돌아와 눈이 나 많이 왔는데 세뱃돈 탄다고 막내 처남이 9살인가 10살인가 먹은 놈이 와 가지고는 하룻내내 세뱃돈을 줘야 가도 안 하고 아니 돈 10원이여도 없으니 세뱃돈 주도 못하고 기가 맥힌 꼴을 내가 그때 한번 봤다. 그러고는 그 뒤로는 명절 돌아오면 몇천원은 꼭 지갑에 넣어놓고 살림을 하기 시작했다.

**

12살 먹은 처남이라... 초등학교 5학년인데,, 눈이 오고 눈이 많이 싸여 힘들었을 텐데. 흰 바우(백암)에서 적어도 1시간은 걸어야 우리집에 당도할 것이다. 매형한테 세뱃돈도 두둑히 얻고 누나도 볼 겸 해서 그 먼거리를 마다않고 왔는데. 그렇다고 변변한 떡국이나 맛난 음식을 배불리 먹었을 리 없다. 더군다나 그때 우리집은 마을 앞쪽이 아니라 저 안골짜기 안에 있었을텐데. 이러지도 저러지도 못하고 난처했던 아버지의 모습이 그려진다. 이 눈치없는 어린 총각은 갈 생각을 안하고..

나중에 아버지께 여쭤봤다. 엄마의 사촌동생이었다고 한다. 그리고 그 뒤에 다시는 찾아오지 않았다고. 난 그 이후가 궁금하다. 혼자서 그 먼 길을 되돌아갈 적에 이 어린 '처남'의 심정은 어떠했을지. 행여 울며 울며 가지는 않았을는지. 씨블 다시는 오나봐라 해 가며 씩 씩거리지는 않았는지... 마음이 많이 아프다. 그 처남은 어디에서 살고 있을까.

4) 자전거 사고

*

나는 2017년도부터 1년 한 달에 27만 원 받고 1 년이면 270만 원 받는 걸 5년간 했다. 2022년 12월 14일 날 마지막 근무하고 점심을 직원들까지 먹고 술을 많이 먹었다.

그러다 오다가 자전차 끌받고 사고로 거기서 거의 다 죽었는데 옆에 사람이 세 시간 만에 신고를 해서 그래도 다행히 일반이 아니고 119 아저씨들이 와서 손을 댔기에 장애는 안되고 시방까지 있다마는 시방 도 현재도 그 영향으로 온몸둥이가 완전히 병신되어

포도시 문밖 출입하고 있는 중이다.

**

　자전거 사고다. 그날 나도 전화를 받았다. 전화번호
는 아버지였는데, 전화 건 사람은 여자였다. 통화 목록
을 보고 전화 하신 거였다.

"여보세요, 혹시 아들이세요? 이 할아버지 전화로 지금
전화를 하는 거거든요."

아버지는 인사불성, 의식을 잃은 상태였다. 119 구급차
안에서 구급대원은 계속 아버지를 깨웠고, 간혹 반응을
보이기는 했으나 여전히 아버지는 의식이 불분명했다.
일단 태촌집으로 방향을 잡고 가고 있었다. 난 아랫집
아재한테 전화를 드렸다. 상황을 간단하게 말씀드렸더
니 출타했다가 지금 들어가는 길이라고 했다. 119대원
한테 전화해서 광주병원으로 가달라고 부탁드렸다. 아
버지께서 자주 이용하시던 병원이라 건강기록이 있을
터였다. 누나한테 전화해서 바로 뒤쫓아 가도록 부탁했
다.
　이 사건은 아버지 인생에서 하나의 전환점이 되었다.

아버지는 이 사건을 시작으로 현역 농부에서 내려와야 했다. 다시는 예전처럼 힘을 쓰지 못했다. 물론 그 전에도 약간 구부정하니 걷기는 했으나, 이 사고로 굉장히 우울해졌고 삶의 질이 극도로 떨어졌다.

올 초 세배드릴 때만 해도 "내가 어디서 뭘 봤는디 100살까지는 산다." 더라며 너털웃음을 웃으셨는데. 우여곡절 끝에 아버지는 퇴원하셨다. 그리고 수소문을 하셨나보다. 당시 누가 신고를 해서 당신의 목숨을 구해주셨는지. 끝내 알아내셨다. 명절날 일부러 찾아뵈면서 배 한 상자를 드렸다. 그 전에 감사표시를 얼마의 현금으로 했으나 굳이 집까지 찾아와서 사양하셨던 전적이 있어 내가 직접 찾아뵀다. 아버지는 남에게 신세 지고 절대로 그냥 넘어가시는 분이 아니다. 평생을 그런 신조로 살아오셨기 때문일 것이다.

5) "까탈시롭당게"

*

오늘 오후 한 시부터 회관 청소 한 시간 하고 4만 원 벌었다. 그리고 회관에서 놀다가 회관 전기가 고장나

집에 왔다. 네 시 반경에 서울서 아들이 갈비 장 봐서 택배를 보낸 놈 택배 받았다.

**

우리 아버지는 먹성이 까다롭다. 뭘 잘 안드신다. 입이 짧다고 해야 하나. 우선 평생 젓갈을 안드셨다. 그러니까 김치를 담아도 우리집은 항상 멸치젓갈 새우젓갈 같은 젓갈류는 빠졌다. 유달리 짰던 우리집 김치, 게다가 젓갈이 안들어가서 감칠맛은커녕 짠맛만 풍기고 볼품도 없던 탓에 손이 덜 가는 반찬이었다. 아주 나중에 안 사실이지만 —이것도 내 뇌피셜이라 정확하지는 않다 — 배추를 씻어서 소금에 절이는 과정이 너무 길었던 게 아닌가 싶다. 간기가 잔뜩 들어간 배추라서 뭘 섞어도 짠맛이 줄줄 흐를 수밖에 없었고.

젓갈류와 마찬가지 이유로 생선을 거의 못먹었다. 아니, 당신만 안드시면 되지 자식들까지 생전 멸치 대가리 하나 밥상에서 찾기 힘들 건 뭐냐고. 그래서 모내기 날이나 가을 추수하는 날이 되면 덩달아 기분이 좋아졌다. 첫째는 학교를 조퇴하거나 결석할 수 있었고, 둘째는 평소에는 맛보기 힘든 찬거리가 나오기 때문이었다. 그때는 서로서로 도와가며 밥도 짓고 반찬도 하고 해서 마을 사람들이 똘똘 뭉쳐가며 일하던 시절이었다. 그러다보니 갈치나 꽁치, 고등어 반찬도 짜잔 등장할 때가 많았다.

그래도 난 반찬 투정은 거의 안했다. 그냥 주면 주는 대로 묵묵히 먹었다. 우리 엄마가 해주시는 음식이 솔직히 맛깔 나지는 않는다. 창의적인 반찬이나 신박한 음식은 꿈도 못꾼다. 그냥 맨날 똑같은 밥상이다. 이게 아버지 때문이라는 합리적 의심이 든다. 조금이라도 변화가 있으면 오히려 잘 못드셨으니까. 다른 집에 일을 가실 때 식사는 어떻게 하셨을까? 난 물어본 적이 없다. 다른 집들은 대부분 김치에 젓갈이 들어가는데. 아, 그래서 맨날 술만 잡수신겐가. 배는 고프고 속은 채워야겠고 찬류는 입맛에 안맞고, 그래서 막걸리나마 배부르게 드셨던 건 아닐까.

고기를 구워도 진수성찬이 차려진 한식집에서도 이 양반은 '깨작깨작'이다. 그러면서 정작 다른 사람들은 '밥 먹을 때는 어찌어찌 해야 한다'면서 일장 연설이다. 생각해보라. 이게 실제 먹히겠느냐고. 아니, 본인이 그러는데, 다른 사람들이 그 말을 따르겠냐고. 영이 서 겠냐고.

과일을 안드신다. 뭐든 한두 점은 드시는데, 그 이상은 안 드신다. 배부르다고, 더 이상 안들어간다고 젓가락을 놓으시는데 방법이 없다.

이상한 것은 술은 잘 드신다. 소줏잔에 소주를 드시지 않는다. 큰 클라스에 소주를 반병 붓는다. 그리고 단숨에 원샷. 김치 한 쪼가리. 그러면 끝이다. 한참 때는 소주 댓병을 드셨다. 지금은 이런 게 잘 나오지 않는다. 소주가 한 4병이 들어가야 댓병이 되려나. 보통 하루에 댓병 하나씩은 드셨다. 그것도 매일.

제3화 구술3

*

내가 형편이 곤란해서 테레비 살 형편도 못하는데 테레비 산 이유는 우리 큰딸 승자가 저기 큰 고모네라고 저녁만 테레비를 보러 가면은 눈치를 하고 결국은 오지 말란다 소리를 듣고 형편도 못 된디 그때에는 테레비 중고 흑백 저기게 안 쓰고 칼라 나온 뒤라 흑백을 사 갖다 싸게 팔아본 사람이 있어 그것을 얼마나 얼마 줬는고 쌀 세 가마니 값인가 뭔가 주고 테레비를 놓았다.

*

테레비 놀 형편도 못 되고 그러는데. 그러고 또 전화를 논 이유가 우리 현락이가 중학교 3학년 땐디 그때가 가을이었다.

9월인가 10월인가 8월인가는 몰라도 학교 올 때가 됐는데 안 와 해가 넘어가도 안 와 그때는 버스가 아니고 자전거 있던 사람은 자전거 걸어가는 사람은 걸

어어 통학을 하고 있는데, 해가 넘어가도 안 와 내가 순창 자전거를 타고 순창읍네쟁이 길을 두 번을 왔다가 갔다 해도 집에 안 와 그랬으면 다시 인자 자전거 또 타고 밤 12시가 됐는데 순창중학교를 숙직실은 있을 것이라고 그거를 숙직실을 갔더니, 숙직실에서 선생님이 들었고 공부 학교 뭐 거시기 한다고 안 보내고 전화를 했다는디 옆집이 할머니가 전화를 받고는 연락을 안 했어.

그래가 그때게 가름 탄 일 생각하고 애탄 일 생각하고만 말도 못했다. 그래서 또 조리장시 치겠던 돈이라도 내갖고 전화를 그때에 60만 원이면은 상당히 큰돈인데 부랴부랴 하고 전화를 놓은 이유가 거가 있었다.

*

내가 60대부터 55 때부터 농사를 많이 지었다 많이 지어가지고 순창읍네 고등학교 선생네 임준식 교장네 순창면 호적계장 서병규 호적계장네지 노상무네지 세집을 쌀을 한 15년간 내가 대췄다 그때게는 80키로가 한가마요 그 중간에는 40키로가 한 가마니고 고놈을 나 혼자 경운기 위에다가 이빠이 싣고 와갖고 세 집이 다 안방에다 띄워주고 그러고 했다.

*

우리 마누라도 논 한 50 마지기 진디 이 모 심는 사람 새치 얻어먹으로 온 사람 한 60명 70명이 되는 밥을 혼자 다 히댔다 그러고 70대부터 그 사람들은 지금 다 고령돼서 죽는 사람도 있고 요양병원에 가 있는 사람도 있고 그러고 시방은 있다.

*

나는 또 그러고 70대부터서는 배추를 한 300 포기 심어갖고 순창읍네 아는 집에 배추 하루 경운기에다가 두 탕씩 오전에 한 번 오후에 한 번씩 갖다주고 배추 장사도 했다.

*

그때게는 순창읍네 가가지고 이 순창읍네서 모르는 사람이 별로 없어 인심을 얻어 가지고 지금 돈으로는 한 1억 정돈디 세 시간 정도만 걸리면은 그때 돈으로 1000만 원 1000만 원 빌릴 수가 있었다. 그마만치 신용이 좋아서 다 거시기 했다. 그러고 보니 인자 쌀 20키로도 들 정도가 못 되고 폐물이 되어 버렸어 한심하기도 하다

*

우리 마누라는 나한테 구사리께나 먹어 가면서도 밥 다 휘대고 그때게는 넘의 논도 소로 소 갖고 갈고 한백마지기 갈고 우리야 갈고 그러고 다 했다. 근디 마누라한테 너무다 잘못한다고 뭐라 하고 지금 생각한 게 후회가 된다.

*

40대 때부터 나는 화목 보일러를 때기 시작했다. 젊었을 적에 나무 해놓는다고 시간만 되면 경운기 몰고. 그러자 나무를 비고 벌목을 해가븐 뒤에 태풍이 온 다음 쓰러진 나무들을 각단지게 경운기 몰고 다 모았다. 해다 쟁여놓고 지금은 안해도 나무 걱정 않고 땐디 지금도 2년 내지 3년도 땔 것 같고 40년 넘은 나

무가 그대로 시방 쟁여져 있다. 긍게 젊었을 적에 동
네 어른들이 저 사람은 체격은 작아도 말도 못하게
강철체력이라고 다들 건강하다고 다들 얘기하고 했었
다.

*

내가 70대부터 70살 먹은 해부터 노인회 회장을 2
선, 8년간 하고 분회 이사를 10년간을 하고 현직은
동네 개발위원장으로 일을 보고 있다, 학교는 문턱도
안갔지만 그래도 팔덕서 임만용이라면 다들 알아주고
했는데 지금은 몸뚱아리가 말을 안들어 나가도 못하
고 그러니까 모다 다 답답한 세대가 되어부렀다.

*

오늘은 점심 먹고 오후에 우리 큰딸이 잠깐 들렸다.
들림서 장을 돼지고기 소고기 사골 모든 것 장을 한
보따리 사와 잘 묵었다

*

오늘 또 아들한테 전화가 와 밥 잘 묵고 잘 자냐고 안부전화. 하루 한 번씩은 하는 편이다.

**

그전에는 이렇게 자주 전화드리지는 못했다. 솔직히 걱정돼서 그런다. 뭘 바라고 이러는 게 아니다. 그러고 싶으니까 그러는거다. 이유가 있는가. 자식이 부모한테 전화하는데 무슨 말이 필요할까. 예전에 전화했을 때 아버지의 첫마디는 "왜?"였다. 난 이게 서운했다. 아니 왜라니. 안부차 전화드렸는데 왜라니. 서운했다. 그래서 그런 점을 넌지시 얘기했다. 그랬더니 그 이후부터 바뀌었다. "어, 아들!"

이래야 맞는 거 아닌가.

사실, 전화 해도 솔직히 할 말 없을 때도 있다. 습관이라는 것이 무섭다. 안하면 허전하고 불안하고 그렇다. 부모님이 젊었을 때는 몰랐는데, 연세가 드시니까 무슨 일이 생길지 모른다. 바쁘더라도 매일 안부전화를 드린다. 가까이 살고 있으면 금방 뵙고 오면 좋은데 그러지 못하니까. 전화하면서 체크한다. 목소리에 힘이 있는지, 오늘 컨디션은 어떤지, 걱정거리나 화가 나는 일은 없는지, 어디가 불편하지는 않은지, 순간적으로 스캐닝을 하는 것이다. 기억력은 괜찮은지 일부러 옛날 일도 물어본다.

제4화 몇 가지 일화

1) 촌지

학교에서 터벅터벅 돌아온 나는 가방을 팽개치며, "나 학교 안다녀!"라고 심술을 부렸다. 마침 들에서 돌아온 아버지는 이런 나를 물끄러미 지나치셨다. 그리고 다음 날 아침, 하얀 봉투를 내밀었다. 학교샘 갖다 주라는 말과 함께. 학교 가는 길에 뭔가 하고 봉투를 열어보았더니 만 원짜리 두 장이 들어있었다. 가슴이 뛰기 시작했다. 이렇게 큰 돈을 보기는 처음이었다. 무엇보다 이걸 선생님께 드린다는 것은 부당했다. 촌지인 것을 알았다기보다는 내 본능이 먼저 캐치를 한 것이다. 초등학교 4학년인 나는 막 공부를 해야한다는 일념으로 똘똘 뭉쳐가는, 만들어져가는 중이었다. 그런데 이상하게도 담임 선생님이었던 최00 선생님은 나를 싫어했다. 소풍날 단체 사진을 찍어도 나는 맨 끝자리나 잘 안보이는 구석진 곳에 위치했다. 학교 대표로 군 대회에 경시대회를 나갈 때도 내 이름은 절대 안불리워졌다. 지금 생각하니, 학교 한 번 안찾아간 부모님 때문에 소위 '찍힌' 것 같다.

나는 그 문제의 돈을 끝내 선생님한테 주지 않았다. 그 돈을 몰래 감춰두고 이주일에 걸쳐 친구들과 과자를 사먹고 걸어서 면소재지까지 가서 오락을 하는 등 탕진을 해버렸다. 아버지께서는 갖다 주니까 선생님이 뭐라 하시냐고 물어보셨다. 대충 아, 고맙다고 하신다는 말로 얼버무렸다. 얼마 후 내가 도용한 사실이 들통나 아버지한테 장작 개비로, 주먹으로, 빗자루로 소위 '허천나게' 맞아야 했다. 그러면서도 내가 잘못했다는 생각이 들지 않았다.

　난 왜 이런 일이 벌어졌는지 알지 못했다. 아주 우연히 동네 친구를 만나서 얘기를 듣고 모든 일의 퍼즐이 풀렸다. 그것도 30여년이 지난 시간에. 그 실상은 이랬다. 친구 아버지는 마당발이었다. 장날마다 우시장에 다니시면서 소를 중개해주는 일을 하셨고, 성격 또한 활달하신 분이셨다. 담임쌤하고는 호형호제 하는 사이였다고 한다. 그 날은 운동회날이었다. 마지막 게임에서 달리기를 했다. 이미 예선을 거친 5명의 각 학년 대표들이 뛰었다.(워낙 시골학교라서 학년 별로 1개 반밖에 없었다.) 난 분명히 1등으로 들어왔는데, 2등으로 들어온 그 친구한테 손도장을 찍어 준 것이다. 항의해

봤지만 선생님은 고개를 흔들었다. 이미 귀빈석에는 친구의 아버지도 자리하고 있던 터였다. 우리 아버지는 논에서 일하시느라 아무도 운동회에 참여하지 않았다. 내내 씩씩 대다가 집에 와서 이제 막 논에서 돌아오신 아버지를 보고 강짜를 부렸던 것이 사건의 내막이다.

내가 기억하는 한 촌지 사건은 두 번이다. 고1때 유난히 기숙사 사감 선생이 나한테 적대적이었다. 청소를 해도 뭐라하고 문제를 못풀어도 뭐라하고-수학 교사였다. 정말 미치고 팔짝 뛸 일이었다. 2주마다 귀가를 하는데, 한 번은 집에 와서 그 선생 얘기를 했더니 기숙사 돌아가는 나에게 아버지가 봉투를 내밀었다. 그때는 별 생각없이 사감선생한테 주었던 것 같다. 그랬더니 신기하게 딱 1주일은 아주 부드럽게 대했다. 그렇지만 나에게는 선생 같지도 않게 보였다. 끝내 2학년 때 이 사감 선생과 대판 싸우고 기숙사를 나와 버렸다.

2) 멋진 아빠

내가 초등학교 3,4학년 이었던가.

난 12살, 아버지는 42살...

모내기였던 걸로 기억된다.

예나 그제나 난 세상에서 뱀이 제일 무섭고 징그럽다.

써레질 한 논에서 일꾼들이 모를 부족함이 없이 잘 심을 수 있도록 밑당을 잘 해야 하는 게 모쟁이의 임무였던 것.

학교도 결석하고 온 식구가 총동원 돼서 모내기를 도왔던...

코에 흙을 묻히고 푹푹 빠지는 발을 빼느라 씨름하던 찰나, 여리디 여린 종아리에 시꺼먼 거머리들이 좋아라 달라붙던 순간, "엄마, 엄마" 다급하게 외쳤다.

고개를 쳐들고 물살을 가르며 접나 빨리 물뱀(무자수)이 나한테로 오는 것이다!!!

좀 멀리서 논두렁을 매만지던 아버지가 그야말로 빛의

속도로 달려오셨다.

물은 다 튀어 온몸이 흠뻑 적신 것은 그 다음일...

맨 손으로 뱀을 잡아 양손으로 두 동강을 내고, 저 멀리 냇가로 던져버린 것도 순간적...

그 순간,

우리 아버지가 참, 멋.있.었.다.

37년 전이건만 이리 생생하다....

3) 林萬用

이상하다,

나의 어린 시절은 기억이 나는데

아버지의 젊은 시절은 잘 떠오르지 않는다.

분명, 기억은 남아있다. 가끔씩 추억도 있다.

그런데 얼굴이 잘 떠오르지 않는다. 아버지의 20대는
없었던 것처럼.

아하,

이제 생각이 났다.

그럴 만도 하구나.

서른에 날 나셨으니, 아버지에 대한 기억은 적어도 30
대 후반부터 시작된다는 걸.

내가 아홉 살 때, 그러니까 1979년 겨울 농한기를 맞이하여 서울 가리봉동 엿공장에서 겨울을 나셨다.

구정전날 사오신 츄리닝 한 벌,

하늘색 바탕에 하얀 두 줄 무늬가 있는 이 옷을

아끼고 아껴서 5학년까지 입었다.

4) 아버지의 카톡

아들내가족모두에미안하군탤애비전본모든거이못학이애가안돼무성길만나고내가생각해도이상하구나못배운아버지가이재사과한다무시하부모진심사과한다사리아드애개

해석:

"아들네 가족 모두에게 미안하구나. 텔레비전 본 모든 것이 이해가 안돼. 성질만 나고 내가 생각해도 이상하

구나. 못배운 아버지가 이제 사과한다. 무식한 부모 진
심 사과한다. 사랑하는 아들에게"

#아버지의카톡

#말로전할수없는마음을문자로

#어법이틀렸지만진심이제대로전달되면되는거다

5) 아버지의 문자

아들이곷은하얀눈이덤북싸여잇구나2020년마무리잘하
고새해는마음먹은대로되길기도할개우리가족다사랑한다

#아버지 #문자 #배움

팔순의 연세에도

배움에 대한 열망이 가득한 당신이 보낸 카톡

6) 이막동

#한 70년 전에 이런 일이 있었다. 6,25도 거의 소강 상태로 접어 들었다. 친구가 집에 급한 일이 있다길래 李순경은 혼자 야경夜警을 돌기로 했었드랬지. 여름날 밤이라는 게 좀 무더웠어야지.. 밤 9시가 넘어 동네를 한바퀴 순찰하고 동네 초입에서 화랑을 한 대 물고 있었단 말야. 한 두어 모금 맛있게 빨면서 요새 꿈자리가 좀 껄쩍지근 하다던 아내의 말이 참으로 쓰잘데기 없다고 생각할 무렵, 저기 앞에서 대여섯 사내들이 오고 있었어. "아, 우린 윗동네 사람들인데 오늘 읍내서 모임을 하고 이제 가는 길입니다."는 말에 겨누었던 총구를 땅에 떨구는 순간, 총알이 이순경 가슴을 관통했어. 그렇게 이순경, 아니 이막동, 아니 나의 외할아버지는 돌아가신 거야.

#난 어머니 아버지 사이에서 태어났지. 할아버지 기억은 있어. 항상 어두컴컴한 방에 누워 계셨어.. 무릎 꿇

고 그 앞에 앉아 있으면, 희미하게 웃으시면서 베갯머리에서 알사탕을 주셨지. 할머니 기억은 없어. 내가 태어났을 때 동네방네 안고 다니시면서 "우리집에도 아들 있다"라며 좋아하셨다는 얘기를 들었어. 어머니의 아버지, 故 李순경, 이 막동씨는 그렇게 아픈 기억이 되어 남아 있고, 외할머니 기억은 없어. 아주 어렸을 때 흰바우 외갓집에 간 적이 있었는데, 그때 큰 외할머니 댁에서 하룻밤 잔 기억이 있어.

내가 기억이 없다고 생각이 안난다고, 있던 사실이 없어지는 건 아니야.

부모가 있었기에 내가 존재하고, 그 부모의 부모가 존재하기에 부모가 존재하고.

그런 게 뿌리야. 그런 것이 역사야.

#이 순경, 외할아버지 이막동님이 대전현충원에 잠드셨다.묘지번호 3840호.

"외할아버지, 고이 잠드소서"

제5화 어느 어버이날의 풍경

-2022/5.6-5.7

#어버이날에 시골 다녀온지 언제인지도 가물거려서 이번에 나섰다. 과감하게 토요일 수업을 휴강했다. 그 여파로 고3 수업까지 못하게 된 건 미안했다. 금,토요일 1박2일을 계획하고 아내와 함께 장을 봤다. 조은축산에서 등심과 목살을 사고, 래미안 과일 가게에서 참외 카라향 사과 등을 미리 사두었다. 수박도 한 덩이 샀는데, 아쉬움이 남아 순창에서 한 개를 더 샀다.6일날 아침 일찍 아이들은 냅두고 아내와 집을 나섰다. 수원광명고속도로를 지나 43번 국도를 타다가 천안논산, 순천완주 고속도로를 이용했다. 호남고속도로를 타다가 거의 서전주IC에서 빠져나왔었는데, 간만에 순천완주를 타다가 88올림픽도로로 나왔다. 이 도로는 그전에는 중앙분리대가 빨간봉이 일렬로 서있어서 위험했는데, 이번에 보니 별도로 중앙분리대를 설치해서 안전도가 훨씬 올라갔다. 아버지가 면세유를 끊어 놓겠다고 하셔서 순창까지 갈 기름만 확보한 상태였는데, 아무래도 조금

84   나의 영웅

부족하지 싶었다. 중간 휴게소에 들러서 찐빵 5개를 4,500원에 샀다. 만원어치를 넣었더니 계기판이 그대로다. 다시 만원어치를 넣어더니 그제서야 주행가능거리가 156km에서 257km로 올라간다.

#원래 계획은 태촌집 먼저 들르려고 했는데, 마침 장인 장모님께서 4차백신 예약이 있어서 아버지께 양해를 구했다. 특히 장모님은 두릅 딸라, 바로 이어 깨 심으랴, 무리한 탓에 무릎 관절이 너무 안좋으셨다. 자동차로 모실 수 있게 되어 얼마나 다행인지 모른다. 먼저 점심을 먹기 위해 구룡가든 별관에 가서 오리주물럭 한 마리와 추어탕 1그릇을 시켰다. 아내는 오리를 잘 못먹는다. 어르신들은 올해 처음으로 밖에서 식사를 하신다고 한다. 바쁘기도 했고 코로나 영향도 있고 딱히 자차가 없어서 그러신 것.... 장인어른은 특히 번데기를 잘 드셨다. 식당 안에 들어서면서 번데기 냄새가 났는데, 막상 차림상에 번데기가 없어서 서운하셨다고. 그러다 조금 후에 식당아주머니께서 막 삶은 번데기를 한접시 가져오셨다. 원래 4명이서 오리 한 마리 먹으면 딱이라고 했는데, 3명이 먹다보니까 좀 양이 많은듯 싶었다.그레고 공기 두 그릇 볶아서 맛나게 드셨다. 추어탕 맛도 괜찮았다. 맛집 등극. 66,000원. 원래 구룡가든

본관과 별관이 형제라고 했는데, 본관은 다른 사람게 팔았다고. 그래서인지 맛도 별관이 더 낫다는 후문.. 아주머니도 싹싹하니 분위기를 잘 맞추어주었고, 아내는 음식이 정말 맛있다고 연이어 하이톤을 내뱉었다.

#순창읍내에가서 먼저 하나로마트를 갔다. 어르신들이 좋아하시는 두유 한 박스와 돼지고기 앞다리살을 두 팩사고, 비피더스, 수박 한 덩이, 청화랑 2병을 샀다.다시 터미널 앞에 가서 농약을 샀다. 왼쪽을 보니 꿀떡이 영업중이었다. 올때마다 문이 닫혀 있어서 장사를 안하는 줄 알았는데. 사진을 찍어 가족 단톡방에 보냈더니, 꿀떡을 사올줄 알았다고 실망이 이만저만이 아니다. 아, 내가 생각이 짧았다. 미리 사놓는 건데,, 100% 국내산이라는데... 희망병원으로 가서 잠시 기다린 다음 주차를 시켰다. 주사를 다 맞히고 귀가했다. 장모님은 돈을 너무 많이 썼다고 걱정이시다. 괜찮아요. 이렇게 쓰려고 돈 버는 겁니다요. ㅎㅎㅎ

#장안으로 가는 중에 깨 심으로 가신다는 아버지가 밭에서 돌아왔다고 전화하셨다.

#태촌으로 갔다. 동네 앞에서 자전거를 타고 나오시는

아버지. 순창읍에 가신다고. 뭐 좀 사러. 이녁차로 모시 겠다고 해도 막무가내다. 몇 달 째 비워져 있던 집에 새사람들이 들어온 듯 싶었다. 앞집은 싹 밀어버렸다. 붉은 황토흙만 맨살을 드러내놓고 있었다. 집에 비좁아 새로 짓는다고. 말 들어보니 2층집으로 올린다는데, 그 럼 바로 뒤의 우리집의 조망권은? 내가 어렸을 때는 앞집이 없었고 미나리꽝이었고 양어장이었던 기억이 난다. 그때도 비 온뒤면 아미산으로 말아 올라가는 물 안개가 일품이었는데. 가까운 이웃이다보니 난감하기만 하다. 아내도 상경길에 이 문제로 씩씩댔다. 미리 받아 놓은 휘발유를 3통 넣었다. 그랜저 탱크가 풀로 찼다. 주행가능거리 750km. 10만원이 넘는 60리터인데, 50% 지원을 받아 57,000원에 가져오셨다고.

#아버지 어머니는 다행히 건강해보이셨다. 아직 저녁 먹기는 이르고 해서 마침 꺼내두었던 선풍기 2대를 깨 끗이 씻었다. 아내는 화장실 2군데를 청소했다. 곧이어 우리 둘이 쓸고 닦고 했다. 시골에 오면 내가 꼭 하는 행동이 청소다. 연로한 탓에 부모님은 청소에 무감각하 시다. 청소기와 밀대를 보면 그동안 얼마나 청소를 안 했는지 짐작할 수 있다. 아버지는 뭐 밖에서 먹냐며 밥 하고 고기 구워서 먹자고 하신다. 아까 엄마께 물어보

니 장어가 드시고 싶다고 했는데. 아내는 아니 친정 부모님만 외식 시켜드리고 우리는 집에서 먹으면 안돼죠, 하면서 밖으로 나가자고 조른다. 결국 우리는 구룡 가든 앞쪽에 있던 장어집을 갔다. 장어 1kg 3마리 69,000원 1인당 상차림 3천원. 합 81,000원. 아버지는 두부를 잘 드신다. 장어를 잘 안먹는 아내도 상추와 백김치 파김치 깻잎을 싸서 몇 점 먹었다. 엄마도 잘 드신다. 내일 올 누나와 동생한테는 오늘은 장어를 먹었으니, 내일은 오리 먹으면 좋겠다고 귀뜸했다. 아버지도 잘 아신다는 이 장어집은 장삿속이 뻔해 보였다. 굳이 상차림을 인당 3천원씩 받아야 하냐고 아내는 볼멘소리를 한다.

#아주 깜깜한 밤은 아니고 어스름한 저녁이어서 강천산으로 드라이브를 했다. 푸르렀던 녹음도 색깔이 어두워지고 어렴풋한 풍광들이 스쳐지나간다. 얼핏 듣기에 강천산이 야간개장이라서 사람들이 많을까 걱정했는데, 웬걸 내일부터 야간개장이라고. 식당은 환한 불빛을 내비치는데 손님은 인적이 없고 간혹 주인장만 듬성듬성하다. 집에 와서 수박을 쪼개보니 다행히 달았다. 하우스수박은 고르고 말것도 없이 당도가 최고라더니. 27,000원짜리였는데 휴.

등심을 구워서 청화랑으로 아버지 어머니께 대접했다.
투뿔이어서 그런가 굉장히 부드럽고 입에 살살 녹았다.

#다음날 아침,5시30분에 일어나서 6시 넘어 출발했다.
내려갈 때 올라올 때 대략 3시간30분 정도씩 소요됐
다. 처남은 부산여행으로 이번에 얼굴을 못봤다. 누나
와 동생네는 우리와 길이 엇갈렸다. 누나 시어머님이
편찮으셔서 소고기 사드리라고 누나한테 10만원 보냈
다.(5월9일 아침)

#우리집 파란색 지붕칠했다. 말 그대로 청와대!!!...

#올라오는 길에 집앞에서 기념촬영 하고 아버지 어머
니를 안아드렸다. 아버지의 등가죽이 유달리 깡말랐다.
울컥 올라오는 걸 꼭 눌렀다.

제6화 풍수지탄(風樹之嘆)

樹欲靜而風不止(수욕정이풍부지)
子欲養而親不待(자욕양이친부대)

나무는 고요하고 싶지만 바람은 멈추지 않고, 자식은 부모를 봉양하고 싶지만 기다려주지 않는다는 말이다. 20년 넘게 아이들을 가르쳐오면서 '풍수지탄'이란 말이 나오면 그냥 넘어가지 않는다. 풍수지탄은 바람과 나무의 한탄이란 뜻이다. 앞뒤 문맥 없이 글자만 해석하면 그야말로 괴상한 말이 되어버린다. 이 네 글자 속에 담긴 전체적인 의미와 충분한 배경을 설명해주었을 때 죽었던 글자가 눈을 비비고 일어선다. 그렇다고 단순히 풍수지탄은 효도를 의미한다고 암기해버리면 본래의 뜻이 갖고 있는 맛이 싹 빠져버린다. 이에 얽히고 설킨 맥락을 풀었을 때 비로소 온전해진다.

중학교 때 한문 교과에서 이 글자를 처음 접했다. 보통의 아이들처럼 개발새발 한자를 그리기에 바빴고, 선생님 말씀이 귀에 들어오지도 않았던 시절이다. 시험을 보려면 무작정 외우기에 급급했다. 이제는 내가 가르치는 입장이 되어 수업 준비를 하면서 풍수지탄과 운명적인 조우를 했다. 다시 보면서 글자를 한 자씩 짚어가며 미분하고 적분했을 때, 엄청난 전율이 느껴졌다. 그러자 30년도 훨씬 넘은 교실의 풍경이 그려졌다. 아, 그때 한문 선생님은 침을 튀기고 피를 토하는 심정으로 이 의미를 우리에게 전해주셨던 건 아닐까. 그런데 야속하게도 나는 풍수지탄의 '표'도 기억나지 않는다는 뜨거운 배신! 고1 때 영어 선생님께서 "부모님이 돌아가셔도 울지 않을 만큼" 효도하겠다는 말도 그 당시에는 전혀 와닿지 않았다. 어떤 상황을 접했을 때 모든 것은 자기와의 연결된 고리에서 풀게 마련이다. 적어도 그 당시 우리 부모님은 농사일 하느라 까맣게 탔을망정 건강하셨으니까.

그런데 어느 순간에 한문 선생님과 영어 선생님의 음성이 오버랩 되면서 내 몸 깊숙한 곳에서부터 풍수지탄이 스멀스멀 올라왔다. '내 머리는 너를 잊은 지 오래'였는데 나의 무의식은 여전히 글자의 자장에 포위되어 있었던 것이다. 이런 것이 교육의 힘이라 믿는다. 그래서 당장은 시험 대비로 고사성어를 달달 암기해야 하더라도, 나를 만난 '어떤' 아이 역시 언젠가는 기억나리라 생각한다. 설령 기억이 안 나면 또 어떤가. 적어도 우리는 수업을 통해 풍수지탄을 해석하면서 효도란 무엇이고 나에게 부모란 무엇인지 생각해보는 시간이 되었을 테니 말이다.

나의 아버지는 올해 여든세 살이시다. 올해 설날 아침에 세배 올릴 때만 해도 정정하셨다. "내가 전에 어떤 말을 들었는디, 100살까지는 산다더라."라고 너털웃음을 터뜨리셨다. 거주하시는 팔덕면에서 노인경찰 봉사 임기를 마치시고 소박하게 환송식을 한 모양이었다. 약주 한 잔 하시고 자전거 타고 귀가하시다가 그만 길옆 논둑으로 넘어지셨다. 나이 드신 분들은 3주만 입원하신다고 해도 3년을 늙어 버린다는 말이 이해가 갔다. 지금 아버지는 모든 농사도 내려놓으시고 엉거주춤 '할아버지' 걸음으로 겨우 거동하신다.
거의 매일 아버지와 통화한다.

"응, 우리 아들"
-아부지, 그래도 오늘 병원 결과가 좋게 나와서 다행이에요

"항, 그러제. 난 오늘 가면 한 달은 더 약 먹어라고 할 줄 알았는디."

-아까 낮에 누나랑 장어 드셨다면서요? 엄마랑 항꾼에.

"잉, 힘이 없다고 헝게, 너그 누나가 짱어 사주등마. 장어는 좀 묵어. 오늘 저녁까지만 약 먹고 내일 아침에 한 번 묵을 것 남았응게, 고것만 묵고 끝내부러야제.

-아부지, 약 잘 드시고 의사 선생님 말 잘 들으니까, 좋게 결과가 나온 거 아녀요. 인자 농사도 다 넘겨부렀응게 편하게 마음 잡수시고 엄마랑 산책이나 하면서 편하게 지내세요.

"그려. 오늘 말 들으니께 고 약이 겁나게 독하다고 하등마. 난 두 알이라서 우습게 생각혔는디 항생제가 들어가서 솔찬히 독하대야."

-누나한테 얘기들으셨죠? 다음 달 14일 월요일에나 내려가 볼라고요. 주말은 일 때문에 좀 바쁘고 평일이 나을 것 같아서 아까 단톡방에서 누나랑 동생이랑 얘기 나눴어요.

"그려 알았어. 그믄 갈 때는 기름 만땅으로 넣어갈 생각하고 와."

-아니, 그러지 마요. 아부지 몸도 안좋은디, 뭐할라고 그려요. 번거롭기만 하지.

"안그려. 고건 내가 해놓을팅게 그리 알아. 월요일 온다고? 그믄 금요일날에는 농협 가서 기름 가져와야 것고만. 아녀 아녀. 니 차 트렁크에 기름을 실으면 쓰간디. 내가 경운기로 가져놓을팅게."

-에고. 알았어요. 그럼 그렇게 하세요.

"그려, 고생해라 와."

작년만 해도 두릅 농사, 고추 1000포기 심으셨는데, 사고 이후로 유달리 힘들어 하셨다. 몇 번 병원 입원도 하셨고, 자꾸 아무 것도 먹기 싫다고 하소연 하시길래 시골에 내려가 뵈었다. 전화통화도 힘들어 하실 정도였으니까 그냥 있을 수가 없었다. 너무 깡마른 팔다리를 보면서 눈물이 나왔다. 다행히 죽도 잡수시고 그냥저냥 저녁은 보냈는데, 새벽 4시에 일이 터졌다. 잠꼬대를 크게 하시기에 얼른 일어나서 잠자리를 살펴보니 바닥이 흥건했다. 아버지가 실수하셨나 이불 밑에 손을 넣어보니 그건 아니었다. 새벽에 오줌통에 볼일 보시다가 그만 다 새버린 것 같다. 아침에도 여전히 기력을 못차리시고 눈을 제대로 못 뜨시기에 지체없이 119를 불렀다. 피검사, CT, 소변검사 등 할 수 있는 검사를 다했다. 결과는 간에 농이 끼었다는 거다. 나중에 찾아보니 이 병이 시간을 다툴 정도로 무섭고, 치명적이었다. 그렇게 광주병원에 2주 입원하셨다.

퇴원 후에도 계속 약을 드셨는데, 오늘 피검사랑 초음파 검사 결과가 아주 좋아졌다고 한다. 결국 3남매가 조금 더 도와드리기로 하고 아예 농사일을 그만 두시기로 하셨다. 평생을 땅 부치면서 살아오셨는데, 막상 아무 것도 안한다고 생각하니 막막 하셨나보다. 일부러 전화를 자주 드린다. 시도 때도 없이. 어떤 때는 "아부지 별일 없소? 알았어요"하고 끊을 때도 있다. 그냥 동네 산책이나 하시고 편하게 보내시라고. 아부지 지금까지 그렇게 열심히 사셨으니까, 어느 누구도 뭐라 할 사람 없으니까 아무 걱정 하지 마시라고.

언제인가 아버지한테 말씀 드린 적이 있다. 내가 마음의 준비가 되면 그때 아버지 길을 가셔라고. 그전에는 절대 못가도록 내가 붙잡을 테니 아무 걱정도 하지 마시라고.

굽은 나무가 선산을 지킨다는 말이 있다. 길쭉하고 반듯한 나무는 각종 목재로 잘려 나가고 구부러지고 못난 소나무만 남는다는 의미다. 지금은 속 썩이는 아이들, 공부 안 하고 게임만 하고, 아무 생각이 없는 것처럼 보이는 아이들이 오히려 살가운 아들딸이 될 수 있다. 맨날 말썽만 피우고 저게 사람 구실이나 하고 살까, 하지만 걱정할 필요가 없다. 학교 다닐 때 공부 잘하고 못하는 건 크게 의미가 없다. 세상이 변했으니까. 21세기 아이들을 부모들은 20세기에 가두고 있는 건 아닌지 생각해볼 필요가 있다. 어느 순간 훌쩍 커버린 아이들은 어느 날 생각지도 못한 모습으로 눈에 들어온다. 이런 걸 어떻게 아느냐고 누가 물어보면 이렇게 답하겠다. 적어도 난 25년을 교육 현장에서 지켜봤다. 아이들은 각자의 자리에서 엄청난 싸움을 하고 있고, 그 누구보다도 치열하게 고민하고 있다. 생각해보면 누구도 인생을 허투루 살지 않는다. 단, 시행착오는 누구나 겪는다. 결국 그걸 인지하고 인내하는 사람이 '진짜 어른'이 된다. 그러니 부모의 도리는 오랫동안 사는 거다. 자식이 '탄'(嘆)하지 않도록.

제7화 엄마

1)산동떡

울 엄매는요 산동떡이라 불리워요.

00엄마보다 산동떡이 사람들 입에 달라 붙나 봐요.

산동은 흰바우라고도 불리는 백암을 말합니다.

그니까 태촌 우리집에서 20리 길을 걸으면 엄마의 친정, 나의 외갓집이 나와요.

전 외갓집에 가본 기억이 한번 밖에 없어요.

경찰이었던 외할아버지는 한국전쟁 때 빨치산의 총을 맞고 돌아가셨대요.

외할머니는 울 엄마와 큰 이모를 놔두고 가버렸대요.

이제는 이런 얘기도 들을 수 없어요.

더이상 엄마도 이런 얘기 안하고.

그냥 저냥 저만 기억하고 있어요.

그 기억마저 가물가물해질까 봐 이렇게 글로 남겨요.

궁금해요. 엄마가 꿈꾸었던 세상은 어떤 것일까.

엄마가 꿈꾸었던 결혼은 어떤 생활이었을까?

나는 제대로 된 아들일까?

엄마는 행복한걸까?

궁금해요.

2) 이심전심

아침 나절부터 한소리 들은 어느 며느리의 미간처럼 잔뜩 찡그리더니 그만, 울컥 하고 울음을 쏟아내는 하늘. 친구를 달래려는 듯 우루루쿵쿵 얼래는 천둥이도 같이 울어 댄다. 여기 번쩍 저기 번쩍 불빛을 휘두르면서 꺼이 꺼이 통곡한다. 혼곤하게 나자빠져 있다가 불현듯 엄니 생각이 나서 부랴부랴 우산을 챙겨 밭으로 갔다. 도라지 밭에서 풀을 매는 엄니 위로 우산을 펼쳤는데, "나도 비 맞는 걸 좋아헌디" 라며 아프리카 추장처럼 꺼먼 얼굴로 웃어주는 사람

에필로그

"아부지, 별 일 없으시죠?"

응, 그래 너네도 별 일 없지?

"그럼요. 누나가 어제 다녀갔다면서요. 이것저것 바리바리 싸들고 갔다 왔다고 하던데요. 그러면서 앞으로는 일주일에 한 번이라도 와서 뭘 좀 사가지고 온대요. 그래야 뭐라도 잡수실 것 같아서."

파안대소 하신다. (참, 오래간만에 밝은 웃음이다.)

"이안이 신혼여행에서 돌아왔는디 알고 계시죠?"

근디, 왔다가 그냥 갔다드만.

"아이고, 겁나 힘들었대요. 몸 좀 추스리고 다시 인사 온다고 했다등마요"

그렇지 않아도 고것 땜에 니 매향이 꼴이 났는갑드라.

이것저것 준비해 놓았는디 밥도 제대로 안묵고 얼굴
만 비추고 가부렀다고.

"음마, 아부지 기억 안나요? 누나 신혼여행에서 늦게
왔다고 매형 뺨 싸대기 때린거? 마, 그럼 안되죠. 큰
일 나죠"

내가 그랬냐. 몰라. 난 기억이 안나는디?

"마, 저도 기억하는디, 기억이 안나부러요?"

이제 봉게 쪼까 기억날라고 한다. 내가 언젠가 니 매
형 뺨을 때린 거 같혀...

그때만 해도 성질 고약하고 힘이 있었을 땡게 그랬
제... 지금은 몸이 병신이 되갔고 택도 없어...

"사람이 성질 나면 그럴 수는 있어요. 하지만 나중에
라도 미안하다고 해야죠. 저도 하진이 서진이 한테 잘
못하면 나중에라도 꼭 사과해요. 미안하다. 아빠가 성
질을 못이겨서 그랬다고."

지난 번에 이안이 결혼식에서 주차장에서도 내가 하진이 엄마한테 빨리 가라고 행동이 굼뜨다고 머라고 혔는디.
(아내도 나한테 얘기했었는데, 모르는 척하고 있었다. 아버지도 그걸 마음에 두고 계신 모양이다.)

"아부지, 저는 괜찮아요. 아들이고 자식이니까. 하지만 하진이 서진이 그리고 하진이 엄마는 또 달라요. 말은 안해도 속으로는 겁나게 서운할걸요."

아, 우리 노인네. 꼰대...

올해 여든세 살...

몸이 아프시다.

천륜, 애증....

　화려한 벚꽃도 백제가 무너지듯이 사라진다. 눈처럼 휘날리는 아름다움의 뒤끝은 지저분함이다. 연두빛 이

파리가 올라온다. 녹음의 축제 시작이다. 이건 이것대로 저건 저것대로 맛이 있다.

 사랑이란 건 매 순간 매 과정을 기억하는 거라 믿는다. 10대, 20대, 그리고 중년을 지나 노년까지도. 그것을 영원이라고도 한다. 아버지는 글자 속에서 숨을 쉬고 계신다. 이 책을 쓴 그럴듯한 이유다.